# NAAR EEN @NDER SOORT GELD

MET UW HULP NU DE DOORBRAAK

Henk van Arkel

# INHOUD

## Nu van start met uw steun

**1.**

Steun STRO met een gift om een ander soort geld te realiseren. Maak uw gift over naar rekening **NL78 TRIO 0784 9116 22** o.v.v. *'Donatie'.* STRO is een door de belastingdienst erkend goed doel (anbi). Daarom zijn uw giften aftrekbaar van de belasting.

**2.**

Betrek anderen bij het nieuwe geld door extra exemplaren van dit boek te bestellen en weg te geven. Maak per exemplaar €20,- over naar rekening **NL78 TRIO 0784 9116 22** o.v.v.: *'Stuur mij...... exemplaren van Een @nder soort geld'.*

**3.**

Of doneer dat geld aan STRO, zodat wij meer exemplaren kunnen verspreiden. Vermeldt dan *'Verspreidt...... exemplaren van Een @nder soort geld'.* Wij kennen altijd nog wel geïnteresseerde mensen.

**4.**

U kunt zich ook op onze website aanmelden voor het Nederlandse Social Trade Credit Circuit in oprichting en zo meehelpen de kritische massa te bereiken die nodig is om het Circuit van de grond te krijgen. U betaalt € 100,- ledenkapitaal/inschrijfgeld op rekening **NL78 TRIO 0784 9115 76** o.v.v. *'Inschrijving'* en u krijgt een tegoed van R€ 75,- op uw rekening in het circuit.

**5.**

Wilt u een bedrag van boven de duizend euro aan STRO lenen, of rechtstreeks investeren in de nieuwe ontwikkelingen, neem dan contact met ons op:
*tel:* 030-2314314,
*e-mail:* info@socialtrade.org

Overstappen naar @nder geld is makkelijker dan de overstap naar IBAN ☺

**DE JUISTE REKENINGNUMMERS ZIJN:**

donaties / bestellingen boek:
NL97 TRIO 0784 9116 22

inschrijving Circuit:
NL78 TRIO 0784 9115 76

# Samen een @nder geld en een ander soort bankieren afdwingen

**Social Trade Credit Circuits**

Helen Toxopeus beschrijft hoe STRO al twintig jaar onderzoek doet naar een eerlijker en duurzamer soort geld en steeds betere alternatieven ontwikkelt. En natuurlijk ook hoe STRO de digitale betaalsoftware bouwt die daarvoor nodig is.

Die Research & Development is gericht op het vinden van een alternatief dat voor iedereen aantrekkelijk moet zijn, omdat het effectiever en minder verspillend is dan het huidige geld. Een alternatief dat meer mensen de kans geeft zich te ontplooien en zuiniger om te gaan met het milieu. Onze zoektocht naar zo'n alternatief wordt mogelijk dankzij het idealisme van donororganisaties en donateurs. Maar het andere geld moet een eigen dynamiek hebben, die niet afhankelijk is van idealisme. Mensen en bedrijven moeten er zelf belang bij hebben het nieuwe geld te gebruiken. Alleen op die manier kan de vraag naar het huidige geld steeds verder afnemen en kan het zelfs overbodig worden!

Dat gaat natuurlijk in tegen de belangen van bankmonopolies en speculanten. Die raken niet graag hun greep kwijt op de goudmijn van de rente-eisende geldschepping uit het niets. Ook de bedrijven die verdienen aan speculatie op de financiële markten – die chaotisch zijn als gevolg van de stoelendans om schaars geld – zullen niet blij zijn met een efficiënter soort geld. Ons alternatief brengt geld veel dichter bij producenten en consumenten en maakt hen minder kwetsbaar voor manipulatie. Daarom stellen we naast het aantrekkelijk zijn van ons alternatief nog een voorwaarde: het moet juridisch niet mogelijk zijn om het te verbieden. Daarom concentreren we ons op het ontwikkelen van een ander soort geld dat *juridisch geen geld is, maar wel belangrijke functies van geld vervult.*

Aan de basis van onze geldvernieuwing staat een boekhouding van onderlinge transacties met *claims op geld dat in de toekomst beschikbaar komt*. Transacties tussen mensen en bedrijven worden daarbij mogelijk in een digitale administratie van die claims, waarbij het gewone geld dus gebruikt blijft worden als rekeneenheid. Dan weet iedereen precies waaraan hij toe is. Die onderlinge verrekening vindt plaats in het zogenaamde **Social Trade Credit Circuit**, een bundeling van communities van bedrijven en consumenten die met elkaar handelen buiten het reguliere geld om.

De claims op geld ontstaan door een lening die in het circuit in omloop komt. Die lening is niet in schaars geld. De bedrijven hoeven daarom dus ook niet te concurreren om schaars geld, want binnen Social Trade bestaat geen tekort aan ruilmiddel. Daardoor kunnen die delen van de samenleving die normaal buitenspel staan, ook zaken doen. Dat is goed nieuws voor regio's die verloederen en goed nieuws voor mensen zonder werk.

Er is ook goed nieuws voor bedrijven, want die hoeven geen rentekosten op te hoesten, omdat de lening niet in geld is, maar in claims op geld die in de toekomst te verzilveren zijn.

Het door STRO ontwikkelde softwarepakket **Cyclos** bevat revolutionaire technologieën die je niet aantreft bij andere betaalsoftware. Die extra's maken dit andere soort geld mogelijk, waarmee binnen de Social Trade Credit Circuits effectief geruild en geïnvesteerd kan worden.

Op dit moment helpen we op verschillende plekken in Europa deze circuits op te zetten. In zo'n Social Trade Credit Circuit lenen, investeren en besteden bedrijven, consumenten en overheden met behulp van termijn-euro´s. *Termijn-euro's* zijn in eerste instantie boekhoudkundige claims, die aan het eind van de termijn waarin ze lokaal gebruikt worden, vrijwel een euro waard zijn. Zolang de termijn nog niet is verstreken, zíjn het nog geen euro's en is er juridisch gezien dus nog geen sprake van geld maar slechts van onderlinge contracten, gerepresenteerd door bites op internet. Daardoor valt dit @ndere geld buiten het monopolie op geld waarmee de banken de wereld in hun greep houden. Daardoor kan ook geen bank er rente over opeisen. En zonder deze rentekosten kan het andere geld als ruil- en zelfs als investeringsmiddel de concurrentie met gewoon geld heel goed aan.

De termijn van een termijn-euro geeft het moment aan dat de geleende euro wordt terugbetaald en dus als gewone euro beschikbaar komt voor degene die de claim op die specifieke termijn-euro op zijn of haar rekening heeft staan. Dankzij de technische innovaties in Cyclos kan het Social Trade Credit Circuit termijn-euro's afkomstig van verschillende bronnen bij elkaar voegen en gemiddelde termijnen meegeven. Hierdoor worden deze termijn-euro's een efficiënt betaalmiddel. Ze komen elke dag een dag dichter bij het aflopen van de termijn. Het bedrijf met het krediet is intussen druk bezig zowel termijn-euro's te verdienen (aan klanten binnen het Circuit) als euro's (aan klanten erbuiten). Zo is het bedrijf aan het eind van de termijn in staat de lening af te lossen. Dat zal waarschijnlijk deels in aflopende termijn-euro's zijn, en voor de rest in reguliere euro's (meer hierover op p. 57).

Het betaalmiddel in een Social Trade Credit Circuit is dus niets anders dan een (terug)betaalbelofte op een bepaalde datum. Dat kost niets en dus kan het Circuit heel goedkoop krediet geven. De enige kosten die gemaakt moeten worden, zijn die voor het afdekken van het risico dat het lenende bedrijf niet kan terugbetalen. En uiteraard de kosten voor de beoordeling van de kredietaanvraag. Door de lage drempel van het krediet en de lage prijs is een Social Trade Credit Circuit belangrijk voor kleine en duurzame bedrijven die op zoek zijn naar goedkope leningen.

De software biedt de kredietnemers en leveranciers bovendien een model om samen te werken vanwege het gezamenlijke belang bij het krediet, voor de een de lening en voor de ander de verkoop die eruit voortvloeit. Deze samenwerking maakt het mogelijk verzekeringen af te sluiten voor hogere risico's dan die een bank accepteert. Hierdoor kunnen bedrijven die bij de banken geen lening krijgen, vaak wel krediet krijgen binnen het Circuit. En zelfs gemakkelijker naarmate het minder goed gaat met de economie. Dat klinkt onlogisch, maar is juist logisch: naar gelang leveranciers harder klanten nodig hebben, zullen ze meer willen meewerken aan een garantiefonds dat potentiële klanten aan krediet helpt, zodat deze ook echt een klant worden.

Makkelijker krediet krijgen als het economisch slecht gaat is, vanuit de banken bekeken, de omgekeerde wereld. Tijdens een crisis wordt er normaal juist minder krediet gegeven. Hierdoor verdiept een crisis zich. De kredietverlening door banken is dus pro-cyclisch, crisisversterkend. Social Trade-krediet werkt *contra-cyclisch*: als het gewone geld blokkeert, ontstaat er voor het Social Trade-krediet juist extra ruimte. Er ontstaat een nieuwe dynamiek doordat de marktpartijen die geen lening kunnen krijgen en partijen die te weinig klandizie hebben, beter af zijn als ze elkaar helpen. Dat kan met Cyclos goed georganiseerd worden. De overcapaciteit bij de leveranciers schept ruimte om de garanties te financieren die de kredieten mogelijk maken. En degenen die van die leveranties profiteren betalen ook mee aan die garanties. Neem een eigenaar van een winkelpand die de huurder failliet zien gaan. De lege winkel brengt niets op. Die eigenaar heeft heel wat ruimte om krediet te geven aan een nieuw bedrijf om de huur te betalen. Want zolang de markt zo slecht is, is elke cent huur die daardoor binnenkomt meegenomen. Als die huurder floreert kan het krediet worden terugbetaald. (Meer over dit principe op p. 35.)

Een Social Trade Credit Circuit kan ook nog om een andere reden georganiseerd worden. Van termijn-euro's staat vast hoe lang ze in de onderlinge boekhouding van het Circuit rondgaan. Als de leden van dat Circuit – de consumenten, bedrijven en overheid – uit een bepaalde streek komen, kan de koopkracht niet zomaar uit de gemeenschap verdwijnen. De koopkracht die dit @ndere geld vertegenwoordigt, gaat per definitie voor de vastgestelde termijn in die regio rond en stimuleert dáár werk en inkomen. Daarbij versterkt het de gezamenlijke economie en de onderlinge verhoudingen. Vandaar dat we spreken van een *Social* Trade Circuit.

Eindelijk hebben we nu uitzicht op een doorbraak naar een ander soort geld, waarbij geld een ruilmiddel wordt dat ten dienste staat van de mensen in plaats van dat het hun leven bepaalt.

Heel rijk zijn in de zin van heel veel claims binnen het Circuit hebben, heeft weinig zin. Je kan er niet mee speculeren. Er kan niets anders met de termijn-euro's dan ze besteden of wachten tot de termijn verstreken is en de omruil in euro's kan plaatsvinden.

Een Social Trade Credit Circuit is geen reservaat; het werkt gewoon in de markt en de claims op geld kunnen op een bepaald moment gewoon verkocht worden voor euro's. Als zo'n Circuit eenmaal groot genoeg is, kan het de potenties van de lokale of regionale economie volop ontwikkelen.

Social Trade is van vele markten thuis. Het stimuleert regionale ontwikkeling, helpt (jeugd-)werkloosheid tegengaan en geeft ook aan duurzame investeringen meer ruimte. Het kan uitstekend helpen bij investeringen voor het energieneutraal maken van woningen en kantoren en bij het ontwikkelen van innovaties die het milieu- en energieverbruik in bedrijven terugdringen. Innovaties die nu de economie voorbereiden op de samenleving van straks, zijn morgen de trekkers van de samenwerkingseconomie.

**Verken de mogelijkheden van het Social Trade Circuit in Nederland**

Na vele jaren van onderzoek en experimenten is STRO nu klaar om dit alternatief voor het huidige geld voor iedereen beschikbaar te maken. In Zuid-Europa gaan al enkele voorbeeldprojecten van start en ook in Nederland bereiden we een Social Trade Credit Circuit voor. Met uw steun gaat dat lukken. Met dit boek werven we de eerste leden voor een Nederlands circuit. Als de leden ervoor kiezen kan daaruit ook een eigen bank groeien. Daarnaast hopen we op voldoende giften om dat circuit een stevige basis te geven.

De eerste etappe in Nederland is veel mensen en bedrijven lid maken. We hebben namelijk een minimaal aantal deelnemers nodig voordat het Circuit interessant wordt voor bedrijven en groepen gebruikers. Het Circuit biedt tal van communities een makkelijke instap. De hele technische en formele kant wordt voor u geregeld. Buurten, socialmediagroepen, bedrijvennetwerken, gemeentes, initiatieven die een ander soort bank willen realiseren kunnen zo zich concentreren op hun eigen identiteit en doelen.

Absolute aantallen die minimaal nodig zijn vallen niet te geven, maar voorlopig gaan we ervan uitdat we met de aansluiting van 50.000 consumenten of 10.000 bedrijven volop van start kunnen. Iedereen die met 100 euro aan inschrijfgeld/ledenkapitaal meehelpt om dit aantal te halen, krijgt alvast een besteedbaar bedrag van 75 termijn-euro's. Zo kunt u nog voor het circuit echt draait alvast kijken hoe het werkt. U kunt er andere deelnemers in uw community mee betalen of u kunt het doneren aan een goed doel naar keuze. Zolang het circuit nog opgebouwd wordt, kan er niet gecashed worden. Als we echt van start gaan krijgen alle termijneuro's die dan circuleren een zelfde termijn voor wanneer ze verkocht mogen worden voor euro's.

***Geïnteresseerd?***
*Geef u hiervoor op via de website www.Socialtrade.nl/circuitNederland en vul desgewenst de community in waarvan u lid wilt worden. De €100,- lidmaatschapsbijdrage stort u op Triodosrekening* **NL97 TRIO 0784 9115 76** *ten name van Stichting STRO, Oude Gracht 42, 3511 AR Utrecht, onder vermelding van 'Deelname Social Trade Credit Circuit'.*

Made possible by a
generous grant from:
Cyclos
Online & mobile banking software
ETA
BILL & MELINDA
GATES foundation
April 9, 20
SOCIAL TRADE ORGANIZATION
$50,000.
PAY TO THE
ORDER OF
Fifty Thousand
Payments Next Zone

# 9 april 2014, Las Vegas

Het is dan wel niet het Eurovisie Songfestival maar toch: Cyclos staat in de finale van de E-pay award 2014, een prijs voor 'innovatief ontwerp, laatste techniek en aansprekende toepassing' op het gebied van betaalsoftware. De verkiezing vindt plaats tijdens de conferentie van de Electronic Transactions Association (ETA), het internationale samenwerkingsverband van de betaalindustrie. En toeval of niet, we moeten ervoor naar Las Vegas! Daar krijgen de tien finalisten uit de competitie de kans aan een jury van specialisten uit de industrie hun product te presenteren. Er zijn twee prijzen, waarvan de hoofdprijs van 50.000 dollar wordt gefinancierd door de Bill & Melinda Gates Foundation. Daarnaast is de erkenning dat we bij de tien beste innovaties op dit terrein zitten natuurlijk een belangrijk promotiemiddel.

Na de eerste vijf deelnemers hebben we hoop. Deze finalisten hebben weliswaar bakken geld in hun presentatie gestoken, maar hun product kan zeker niet tegen onze Cyclos-software op. Dat vinden we in elk geval zelf. Nu is het onze beurt. We doen ons verhaal, sober maar informatief, en daarna is het afwachten. Er volgen nog enkele zeer gelikte presentaties van indrukwekkende producten. Dan trekt de jury zich terug.

Waar we eerst tevreden waren met de plaatsing bij de laatste tien, hopen we nu toch wel op een notering in de top vijf. Dan komt de uitslag: *'De E-pay innovation award winner 2014 is... the Social Trade Organisation!'*

Wow! Hier hadden we niet op durven hopen. Deze erkenning van de kwaliteit van ons werk gaat ons hopelijk veel steun en klanten opleveren. En daar bovenop is er nog zo'n prachtig geldbedrag! Dat kunnen we héél goed gebruiken.

De vertegenwoordigster van de Bill & Melinda Gates Foundation vertelt na afloop dat ze speciaal heeft gelet op de bruikbaarheid van de innovatie voor armoedebestrijding. Dat betekent dat ook in haar ogen onze Cyclos-software op dit gebied de beste is.

# Voorbeeldprojecten in aanbouw: Bristol, Catalonië en Italië

Ik was in Barcelona bij onze partners toen we het bericht kregen dat onze gezamenlijke poging was mislukt om een door de EU uitgeschreven wedstrijd voor IT-innovaties te winnen. Voor vijf winnaars betaalde de EU de helft van de kosten van een drietal voorbeeldprojecten in Europa om de mogelijkheden van je nieuwe technologie te tonen. Het was natuurlijk een domper, maar de partners in Barcelona hadden zoveel interesse getoond dat we de eerste voorbereidingen aan het treffen waren, al voordat we de uitslag kenden. Precies daarom was ik er.

Ik hoorde dat het een dubbeltje op zijn kant was geweest. De Europese Unie organiseerde die competitie voor IT-innovaties op allerlei terreinen. De vijf beste kregen steun en wij waren de zesde. Het voelde alsof je in de rij staat waar de kassa net voor je neus dicht gaat.

Toch was een zesde plaats al veel meer dan we mochten verwachten. We dongen mee met een innovatie die nogal buiten de regels van deze wedstrijd leek te vallen. Eerlijk gezegd ging het STRO vooral om de prachtige kans die het bood om met gemeentes en regio's in gesprek te komen: 'Heeft u interesse om met behulp van STRO-innovaties de overheidsuitgaven effectiever te maken in de lokale economie en om een Social Trade Credit Circuit te starten om zo het kleinbedrijf en de sociale economie toegang te geven tot meer krediet en meer omzet?'

Nou, die belangstelling bleek er te zijn! We moesten kiezen tussen Lombardije, Sardinië en Voralberg welke regioregering eerst en welke later aan de beurt zou komen. De bestuurders van drie steden in Spanje en van de stad Bristol in Engeland waren er ook snel bij. Alleen al voor het netwerk aan contacten was meedoen de moeite waard.

Maar als je dan net buiten de prijzen valt… Zesde worden was helemaal niet slecht voor een vreemde eend in de bijt tussen al die technische projecten. Waardering van zo'n EU-afdeling die IT-innovaties stimuleert was op zich al bijzonder. Wij hielden ons groot, maar jongens wat jammer!

De volgende dag kreeg ik een telefoontje vanuit Nederland. Nu met goed nieuws. Iemand, vermoedelijk van de Europese commissie, had onze innovatie gezien en was er zo positief over dat hij/zij extra fondsen beschikbaar stelde, waardoor we alsnog in de prijzen vielen. Het bezoek aan Barcelona kreeg een feestelijk tintje! Nu was de helft van de kosten voor proefprojecten in Catalonië en in nog twee andere regio's gedekt. Een deel van de andere helft wordt opgebracht door de deelnemende partners en de rest moet gaandeweg gevonden worden, bijvoorbeeld door donaties naar aanleiding van dit boek.

En zo startten begin 2014 bedrijven, overheden en universiteiten in Bristol, Catalonië en Sardinië het **'Digipay4Growth'** project. Dé kans om te laten zien dat met behulp van STRO's nieuwe technologie een @nder soort geld mogelijk is, dat effectiever is omdat het gegarandeerd gedurende een vastgestelde termijn in de regio circuleert.

## BRISTOL POUND EN BRISTOL PROSPECTS

De Bristol Pound richt zich op de één miljoen inwoners van Bristol en omstreken. Het is een bijzonder project, in de eerste plaats vanwege het team. Deze groep mensen combineert bevlogenheid, betrokkenheid bij Bristol en interesse in geldvernieuwing met een hoge mate van professionaliteit. Ten tweede is er burgemeester George Ferguson die op de eerste dag na zijn verkiezing aankondigde dat hij zijn hele salaris in Bristol Pounds wilde gaan ontvangen.

Niet alleen werken gemeente, initiatiefnemers en ondernemers eendrachtig samen om het lokale geld tot een succes te maken. Ze krijgen ook steun van de lokale Bristol Credit Union. Dat is de soort lokale spaar- en leenbank zoals we die in Nederland hadden voordat deze lokale banken in de Rabobank opgingen. De Bristol Credit Union is een door de Bank of England erkende financiële instelling en heeft de kwaliteit om de administratie van de Bristol Pounds bij te houden. Zij administreert de digitale transacties in de Cyclos-software, verkoopt de papieren Bristol Pound-biljetten en wisselt die zo nodig weer om naar digitale Bristol Pounds, die onder bepaalde voorwaarden weer naar Engelse ponden omgewisseld kunnen worden. De bank profiteert zelf ook doordat veel bedrijven die vanwege Bristol Pound komen, ook klant worden bij de Credit Union.

Bristol Pound is inmiddels uitgegroeid tot een van de grootste en meest succesvolle lokaal-geldprojecten ter wereld. De snelle groei naar bijna 500.000 Bristol Pounds die in 2013 'van hand tot hand' gingen, is spectaculair. Tegelijk moet Bristol Pounds natuurlijk nog veel groter worden om impact te krijgen op het niveau van de economie van Bristol als geheel.

### Gaat het lukken?

De deelname van de gemeente Bristol en de Bristol Credit Union geeft ondernemers vertrouwen. Dat verhoogt de kans op succes. De professionaliteit van het Bristol Pound-team is ook gunstig. Bovendien is de bevolking van Bristol erg betrokken bij de stad.

Bristol Pounds zijn honderd procent gedekt met gewone ponden. Daartoe wordt de Bristol Credit Union door de Centrale Bank verplicht. Die dekking kost (rente)geld, maar schept tegelijk ook veel vertrouwen.

Bristol Pound werkt nog met de oude versie van Cyclos. In het najaar van 2014 wordt een parallel netwerk gelanceerd, het Bristol Prospects, waarin Social Trade krediet zal worden gerealiseerd met behulp van de nieuwe Cyclos4Pro-software. Als dat draait, bekijken de mensen in Bristol hoe ze beide systemen gaan integreren.

Er zijn ook problemen. De Britse regering kortte onlangs alle gemeentes in één klap met een derde van hun budget. Deze bezuiniging treft ook Bristol. Ongeveer één op de drie ambtenaren moet nu ontslagen worden. Dat geeft chaos die nog lang te merken zal zijn. Het is te hopen dat de burgemeester toch kans ziet de gemeente serieus in het project te laten meedoen.

De gemeente Bristol was met een begroting van 390 miljoen pond per jaar een grote speler in de lokale economie. De bezuiniging hakt er dus ook economisch in, al blijft het overgebleven budget nog altijd een belangrijk deel uitmaken van de lokale economie. Een groot deel van dat budget kan overigens vanwege juridische redenen niet in Bristol Pounds besteed worden. Zo hebben ambtenaren recht op een salaris in Engelse Ponden. Gelukkig heeft STRO in Latijns-Amerika al oplossingen ontwikkeld, waardoor salarissen toch via het lokale netwerk kunnen lopen. Zo mag de gemeente ambtenaren wel een voorschot op hun salaris aanbieden in Bristol Pounds. Als het dan op betalen aankomt, is dat deel van het salaris al besteed en kunnen de bespaarde Engelse ponden daarom ingezet worden als dekking van die Bristol Pounds.

Er loopt een campagne om consumenten te vragen met Bristol Pounds te kopen. Het doel is dat er over drie jaar tien keer zoveel Bristol Pounds in omloop zijn dan de kleine half miljoen die er op dit moment rondgaan. Bij dat volume is de Bristol Pound een betaalmiddel geworden dat voldoende gebruikt wordt om bepaalde stukken van de lokale economie fundamenteel positief te beïnvloeden.

Twintig andere gemeentes in Engeland volgen al een tijdje de ontwikkelingen in Bristol op de voet. Daarbij zitten een paar hele grote. Wordt Bristol een succes, dan zullen de meeste van deze gemeentes deze aanpak gaan volgen.

Bristol is nu al een inspiratiebron voor gemeentes in andere landen, onder andere voor Nantes en diverse gemeentes in Catalonië. Ook die uitstraling zal alleen maar toenemen met de groei van het succes van de Bristol Pound.

**Wat is nodig om tot succes te komen?**

- **Allereerst moet de nieuwe kredietlijn van Bristol Prostpects een succes worden. Daarin krijgen alle digitale Prospects een termijn mee voordat ze omgewisseld kunnen worden in Engelse ponden. Dit geeft de zekerheid dat ze gedurende die periode de economie in Bristol stimuleren en tegelijk de bijdragen binnen halen die achteraf de garanties voor de leningen in Bristol Prospects stevig genoeg maken (zie p. 31 e.v.).**
- **Verder is het belangrijk dat de gemeente zelf Bristol Prospects zal accepteren voor lokale belastingen en er zoveel mogelijk wil gaan uitgeven, aan salarissen, subsidies, enz.**
- **En uiteindelijk natuurlijk het gewenste resulaat: dat dit @ndere ruilmiddel de lokale economie zo laat bloeien dat er meer banen ontstaan.**

**Als dat lukt, laat Bristol Pound zien dat lokale ruilmiddelen effectief kunnen zijn en tegelijk ook een onderdeel kunnen uitmaken van de nationale economie. Bristol Pound begint voor de regering in Londen binnenkort ook een pilot in Totness. Als dat een succes wordt zal de Britse regering een uitrol naar minstens twintig gemeentes financieren.**

## SOCIAL TRADE CREDIT CIRCUIT IN CATALONIË

In de Spaanse burgeroorlog verloor Catalonië (met hoofdstad Barcelona) van de door Hitler gesteunde fascisten die vanuit Madrid opereerden. Tientallen jaren zuchtte Catalonië onder het juk van dictator Franco. Nog steeds klinken de echo´s uit die tijd door en heeft Madrid het voor het zeggen in Catalonië. De economische crisis van nu heeft de tegenstellingen tussen Barcelona en Madrid alleen maar aangescherpt.

Catalonië is bijna failliet. Niet omdat er te weinig belastingen betaald worden. Het probleem is dat er te weinig terugkomt van de belastingen, die veelal naar Madrid gaan. Madrid weigert al jaren te praten over meer zelfstandigheid en verbiedt de Catalanen zelfs om een niet-bindend referendum te houden over onafhankelijkheid. Dat strijkt de mensen tegen de haren in. De roep om afscheiding wordt mede hierdoor juist luider.

Deze achtergrond maakt dat het regionale geldproject in Catalonië op meer dan gemiddelde belangstelling kan rekenen, zowel van separatisten als van autoriteiten in Madrid. Alles wat ook maar riekt naar een eigen Catalaanse munt zal direct de kop worden ingedrukt.

STRO gaat het niet om symboolpolitiek. Wij vinden dat een gezonde regionale economie werkloze jongeren, coöperaties en bedrijven uitdaagt hun potenties te ontplooien. Economie is er om de mensen kansen te geven en niet om ideologische stokpaardjes te berijden. Samenwerking tussen regio's en ook de samenwerking tussen de landen in de EU moet gebaseerd zijn op regio´s die de kans krijgen hun mogelijkheden te benutten. Niemand wordt er beter van als in Catalonië de helft van de jongeren zonder baan zit. En wij willen ons best doen daaraan wat te veranderen.

Het project kan bovendien door andere regio's als voorbeeld worden gebruikt. In tegenstelling tot Bristol en Sardinië, waar bestaande gebruikers van Cyclos overstappen naar de nieuwe Cyclos4-PRO versie waarin de innovaties zitten, start het project in Catalonië van nul. Daarmee is het een voorbeeld voor regio's die ook uit het niets een circuit willen opbouwen. De bedoeling is daarom het materiaal en de ervaringen in Catalonië vast te leggen in een handboek.

Het project in Catalonië wordt gesteund door de federatie van coöperaties, door een groep bedrijven actief in de nieuwe economie, door verschillende gemeentes en door de universiteit. Dat zijn interessante partners, waardoor de kans op succes reëel is.

**Gaat het lukken?**

De slechte economische omstandigheden zijn eigenlijk wel gunstig voor dit project: juist daardoor is er veel productie die bedrijven in de reguliere economie niet kwijt kunnen. En in Catalonië ligt de kredietverlening aan het MKB, aan coöperaties en aan duurzame projecten op z'n gat.

De behoefte aan een alternatief is groot. Zodra we partners hebben die bij de kredietverlening de selectie en herverzekering voor hun rekening willen nemen, wordt een behoorlijk volume aan kredieten mogelijk. We moeten er uiteraard ook nog voor zorgen dat bedrijven het Circuit gaan vertrouwen.

De gemeentes die meedoen zitten gevangen in juridische regelgeving die hen verbiedt om veel van hun uitgaven via het circuit te doen. Er bestaan manieren, maar het kost tijd en energie om die te organiseren. Voorlopig rekenen we erop dat gemeentes voor slechts een paar honderdduizend euro via het circuit gaan besteden.

Mogelijk kan een 'koop Catalaans'-campagne consumenten overhalen om hun koopkracht via het circuit te besteden. Maar daar moeten we vanwege de gespannen politieke verhoudingen heel voorzichtig mee zijn.

De coördinator van Social Trade in Catalonië is COOPCAT. Dat is de koepelorganisatie van coöperaties. Uiteraard kan COOPCAT haar eigen leden makkelijk benaderen en weet ze ook precies waaraan behoefte is. Dat maakt de kans op succes groter.

Er wordt nog gezocht naar een financiële partner, vooral vanwege het imago van competentie dat dat oplevert. Ook al kan het project zonder zo'n partner heel goed slagen, zo'n imago helpt wel. Het lijkt erop dat de kredietinstantie van de Baskische Mondragon-coöperaties mee wil gaan doen. Ook zijn er veelbelovende contacten met een garantiefonds.

Tegenover deze positieve aspecten staat het risico van ingrijpen door de centrale regering. Ook al is er niets illegaals aan het Social Trade Credit Circuit, daar heb je weinig aan als ze ingrijpen, want dan liggen de activiteiten gedurende jarenlange rechtszaken stil. Gelukkig geeft de steun van de EU aan het project enige bescherming en verder moeten we gewoon elke provocatie proberen te voorkomen.

De uitstraling van een succesvol krediet- en betaalcircuit in Catalonië zou enorm zijn. Niet alleen naar alle regio's in Spanje, maar ook naar landen in Latijns-Amerika, die via het Spaans gemakkelijk toegang hebben tot de informatie. Nu al is het reuze handig dat alle procedures die in Uruguay opgesteld zijn voor de projecten daar, direct gelezen kunnen worden in Catalonië.

**De doelstellingen in Catalonië zijn:**

- **Een robuust regionaal krediet- en betaalcircuit ontwikkelen.**
- **Uitwisseling met de euro onder voorwaarden mogelijk maken, zodat het circuit echt lokaal is, maar ook onderdeel uitmaakt van de Europese economie.**
- **Voldoende lokaal ruilmiddel scheppen om coöperaties en MKB extra kansen te geven, waardoor ook meer banen ontstaan.**
- **Een eerste stap zetten naar het wegvallen van elke vorm van rentekosten die doorgaans verbonden zijn met geldschepping. Daardoor worden financiële en economisch overwegingen dezelfde, wat leidt tot veel meer ecologische efficiëntie.**
- **Een voorbeeld vormen voor soortgelijke initiatieven in Spaanstalige regio's overal ter wereld.**

## KOMT DE DOORBRAAK IN ITALIË?

In Noord-Italië zijn veel mensen het zat dat hun belastinggeld naar Midden- en Zuid-Italië stroomt. Tegelijkertijd snappen in Zuid-Italië steeds meer mensen dat die geldstroom verstikkend werkt op hun eigen economie en dat ze meer hebben aan een economische en financiële structuur die bedrijvigheid in hún streek betere kansen biedt.

We herkennen deze argumenten uit het debat rond de euro: willen de Zuid-Europese landen meekomen op de markt, moeten ze eigenlijk hun munt devalueren. Maar doordat ze in de euro zitten en de waarde daarvan gedomineerd wordt door de Noordelijke economieën, kan dat niet en zijn ze te duur geworden. Dus moet Zuid-Europa fors bezuinigen, waarbij een groot deel van de bestaande productiecapaciteit verdwijnt. Daarbij worden ook bedrijven getroffen die voor de lokale markt werken en in die markt inkomen genereerden. Dat deze onderlinge economische activiteit verdwijnt is een onzinnige verspilling, want deze lokale productie voor lokale consumptie biedt een soort startpunt voor de export-activiteiten. Het heeft juist een positief (indirect) effect op de handelsbalans en de onderlinge handel levert ook nog eens belastingen op.

De crisis heeft de altijd al kwakkelende economie in Midden- en Zuid-Italië verder verslechterd. Dat inspireert tot een zoektocht naar alternatieven.

**Sardinië**

STRO's belangrijkste partner in Italië is Sardex. Sardex werd een paar jaar geleden op Sardinië gestart door twee broers en een vriend. Na hun studie kon het drietal geen baan krijgen. Ze organiseerden daarom een C3-netwerk. C3 staat voor *Circuito do Credito Commerciale*, een model voor een business-to-business vereffeningsnetwerk, door STRO oorspronkelijk ontwikkeld in Latijns Amerika. Dit C3-netwerk moest Sardijnse bedrijven de mogelijkheid bieden tot onderlinge handel waarmee extra verdiensten binnengehaald konden worden. Mede door de kwakkelende regionale economie groeide het circuit als kool.

Het drietal ontdekte via internet Cyclos en installeerde de software op hun computer. Daardoor kon de onderlinge ruil tussen deelnemende bedrijven effectief worden bijgehouden. Toen het circuit een beetje liep, waren de oprichters zo verstandig om een manager aan te trekken met ervaring in het aansturen van een groot aantal medewerkers en het runnen van een middelgroot bedrijf.

Als volgende stap werd de voormalige manager van American Express Italië overgehaald om bij Sardex te komen werken. Hij werd de promotor van het Sardex-model op het vasteland. In een groot aantal Italiaanse regio's heeft dat inmiddels geleid tot replica's. De meeste daarvan doen het ook goed. Sardex helpt hen met de installatie van Cyclos, met het management en met de training van de mensen die het circuit gaan uitbouwen.

Dit jaar komt de omzet boven de dertig miljoen euro en volgend jaar wordt weer een verdubbeling verwacht. Inmiddels komen op het vasteland van Italië de 'dochters' van Sardex van de grond.

Sardex is innovatief. Zij kozen STRO's C3-model boven de bekendere traditionele Barter en ze willen verder innoveren. Daartoe heeft Sardex zich aangesloten bij STRO's Europese Digipay4growth-project.

Via Sardex is ook de regering van Sardinië mee gaan doen aan ons Europese project. In de Italiaanse grondwet van 1948 kreeg Sardinië een grote mate van autonomie. Het eiland mag bijvoorbeeld haar eigen economisch beleid vormgeven. Dat maakt de deelname van deze regioregering extra interessant. De voorjaar 2014 gehouden verkiezingen brachten een andere regioregering. Hoe die precies invulling gaat geven aan het Digipay4growth project waarvoor de vorige regering getekend heeft, is nog onduidelijk.

De vorige regioregering van Sardinië gaf aan dat ze eenheden in het Sardex-circuit als betaling wilde gaan accepteren en ook dat ze via het circuit zou gaan besteden. Dat zou de unieke mogelijkheid opleveren om via Sardex de economie te stimuleren. Met STRO's nieuwste technologie kunnen de bestedingen van de regioregering op het eiland van hand tot hand gaan en zich grotendeels terugverdienen via belastinginkomsten. Sardinië kan zo een voorbeeld worden van wat er allemaal kan als geld puur digitaal wordt en de informatietechnologie wordt ingezet om de koopkracht optimaal te laten circuleren. Er komen hier ongelooflijk spannende jaren aan!

**Lombardije**

In het verleden had STRO ook contacten met de Kamer van koophandel van Milaan. Daarom peilden wij hun belangstelling voor het Europese project. Via hen kwamen we terecht bij FINLombarda, de financiële instelling van de regioregering van Lombardije. In tegenstelling tot Sardinië is Lombardije geen autonome regio en mag de regioregering slechts een beperkt aantal belastingen innen. Tegelijk levert deze regio één vijfde van de productie van Italië. Ze is dus behoorlijk invloedrijk.

In Lombardije heeft het regioparlement unaniem gekozen dat er een complementair handelsnetwerk moet komen.

Ook FINLombarda doet daardoor mee aan het Europese project. Onze relatie met hen is goed. De regioregering heeft de financiële kracht om een regionale munt over het moeilijke beginpunt heen te trekken en tot een succes te maken. Welke mogelijkheden Rome hen zal gunnen is een vraag. Doorslaggevend is dat het gewone geld, de euro, op dit moment gewoonweg niet goed functioneert. In de regio blijven daardoor veel capaciteiten onderbenut. Het moet dus mogelijk zijn om leveranciers met overcapaciteit te vinden die bereid zijn deel te nemen aan het circuit.

Als het opzetten van een Social Trade Credit Circuit in Lombardije goedkeuring krijgt en de regio er echt werk van maakt, kan daar een voorbeeld worden neergezet van hoe een ander soort geld, naast gewone euro's, een bijdrage kan leveren aan de lokale economie op een schaal die er werkelijk toe doet. En als het in Lombardije lukt de regionale mogelijkheden te optimaliseren, dan helpt dat om mensen anders naar geld te laten kijken. Op veel plaatsen in de wereld kan dit voorbeeld dan gekopieerd worden.

Regio's die elk een eigen ruilnetwerk hebben, kunnen prima onderling samenwerken door de waarde in de onderlinge handel aan te passen wanneer dat nodig is. Zolang er geen import- of exportoverschot is, blijft de koopkracht en het ruilmiddel immers binnen elke regio op peil. Daarom is het zo interessant dat in veel regio's in Italië de aanzet voor regionale circuits al aanwezig is.

Wat er uit komt? Eerlijk gezegd hebben we geen idee. Juist omdat hier veel regioregeringen bij betrokken zijn, moeten we er rekening mee houden dat ontwikkelingen langzaam gaan, met onverwachte wendingen.

## WAAR KUNNEN DEZE PILOTS TOE LEIDEN?

STRO heeft als langetermijndoelstelling dat er op veel plaatsen Social Trade Credit Ciruits komen, zodat er steeds meer rentevrij krediet in omloop komt. De bijdrage die de EU-prijs geeft is expliciet om de innovatie bekend te maken en binnen de EU te verspreiden.

Onze hoop is dat op een gegeven moment de totale omvang van dien aard is, dat de vraag naar het 'oude' geld afneemt. Dan drukken de rentevrije leningen binnen de Social Trade Credit Circuits de rente in de 'oude' geldmarkt. Dus waar het de rente betreft, snijdt het mes dan aan twee kanten.

In de interviews met Helen komt naar voren hoe belangrijk een lage rente is voor een duurzamere toekomst. Daarnaast geeft een lage rente in de gewone geldmarkt arme mensen en regio's ook betere ontwikkelingskansen. We gaan er dus alles aan doen om de lokale circuits tot een niveau te doen groeien waarop ze serieus effect krijgen op de kunstmatige schaarste van geld en dus op het renteniveau.

# Naar een Social Trade Credit Circuit in Nederland

Ha, we zijn eindelijk aangekomen bij Nederland! Jaren geleden introduceerde STRO in Nederland ander-geld-initiatieven als **LETS** en **Noppes** en het barternetwerk **Amstelnet**. We concludeerden toen dat er nog veel experimenten nodig waren voor we een echt werkend alternatief hadden voor het huidige geld. En bovenal betere software. In de jaren daarna concentreerden we ons op Latijns-Amerika. Daar zagen we de beste kansen om met proefprojecten onze aanpak te verbeteren en stapje voor stapje de software te bouwen die nodig is.

We kregen gelijk en zo hebben we nu eindelijk de baanbrekende vernieuwing van het **Social Trade Credit Circuit** klaar voor gebruik. Dus brengen we die ook naar Nederland. Met dit boek hopen we voldoende middelen bijeen te krijgen om ook in onze thuisbasis de doorbraak naar ander geld mogelijk te maken.

Dat vergt helaas veel gewone euro's, want een investering in oud geld gaat vooraf aan succes met nieuw geld.

Naast voldoende investeringsgeld zijn er meer dingen nodig om een succesvol nieuw circuit te kunnen opbouwen.

**1)** Er zijn voldoende pioniers nodig die zich al in de beginperiode aanmelden. Hierdoor ontstaat een geloofwaardig startpunt. Meldt u daarom aan als lid van het Nederlandse Circuit. Zie www.socialtrade.nl/circuitnederland.

**2)** We leven in een tijd van initiatieven uit de crowd. Het circuit biedt deze initiatieven de gelegenheid hun eigen community te vormen. Hoe meer groepen daar gebruik van maken des te sterker wordt het circuit als geheel en des te meer mogelijkheden ontstaan er voor andere groepen die van het circuit gebruik maken.

**3)** Als de pioniers de opening hebben gemaakt kunnen andere bedrijven aanhaken.

**4)** Gaandeweg ervaren de deelnemers binnen het circuit dat de waarde van de termijn-euro's ongeveer gelijk is aan die van de gewone euro, waardoor het vertrouwen in het circuit groeit.

**5)** Uiteindelijk stroomt er zoveel koopkracht door het circuit, dat deelnemende bedrijven merken dat ze via het Circuit extra verkopen hebben.

a. Dankzij consumenten die het belang en de voordelen inzien van een sterke lokale economie en daarom lokaal gaan kopen. Op die manier weten ze dat niet alleen hun aankoop, maar ook de vervolguitgaven een voorkeur voor lokaal krijgen.
b. Vanwege de kredieten.
c. Dankzij overheden en organisaties die hun bestedingen zoveel mogelijk via het circuitcircuit laten lopen.

Het Social Trade Credit Circuit hanteert een dynamische dekking zonder garanties van de regering en de Nederlandse Bank. Die eigen dekking is daarom extra stevig. Meer hierover op pagina 37.
Al met al kan het Circuit bij de kredieten meer risico's accepteren dan een bank. Het kan ook de kosten voor krediet nog lager maken als dat de aanvrager helpt te overleven.

Hoe goed de opzet ook is, uiteindelijk werkt Social Trade alleen als er het vertrouwen is dat na het verstrijken van de termijnen ook daadwerkelijk euro's gebeurd kunnen worden. STRO probeert ook in Nederland partijen bij het circuit te betrekken die dat vertrouwen kunnen geven. Dat kan een lokale Rabobank zijn die terug wil naar de lokale vorm van samenwerken die ooit aan de Rabo ten grondslag lag. Maar ook een Broodfonds, of misschien wel een Regiobank, een fonds bedoeld voor het MKB, of een initiatief voor een nieuwe coöperatieve bank.

***The Optimist** (voorheen het tijdschrift **Ode**) geeft de uitbouw van het Nederlandse Social Trade Credit Circuit een mooie kans. **The Optimist** heeft STRO toestemming gegeven dit (doorgeef)boek naar haar abonnees te sturen. Dat zijn in het algemeen hoog opgeleide mensen die geïnteresseerd zijn in verandering. Mensen die lezen, en ook weer andere mensen kennen aan wie ze het boek kunnen doorgeven. Het zal hen vast aanspreken.*
***The Optimist** en STRO gaan ook samen bijeenkomsten organiseren waar het Nederlandse bedrijfsleven bij het Circuit betrokken gaat worden, met name uit de hoek van het Maatschappelijk Verantwoord Ondernemen.*
*Deze samenwerking met **The Optimist** is heel passend, want **Ode/The Optimist** bericht al vele jaren over geldalternatieven en oprichter Jurriaan Kamp was een van de eersten die in een boek het feilen van het huidige geld aan de orde stelde.*

Hoe meer mensen en bedrijven zich aanmelden voordat het circuit van start gaat, des te groter is de kans dat het Nederlandse circuit snel van de grond komt. Daarom roepen we u op om **nu** lid te worden. Hoe meer leden des te groter de (potentiële) koopkrachtige vraag in het circuit. Dat maakt het makkelijker om bedrijven te overtuigen zich ook aan te sluiten. Zo ontstaat een zichzelf versterkend mechanisme: wanneer meer bedrijven meedoen, schept dat nog meer vertrouwen en bekendheid.

*Eenheden die u binnen het circuit verdient, hebben formeel alleen waarde bij andere deelnemers aan het circuit. De claims worden uiteraard niet door de Nederlandse Bank gegarandeerd. Social Trade is zo opgezet dat vraag en aanbod naar eenheden vrijwel met elkaar in evenwicht zijn. Dit evenwicht tussen vraag en aanbod leidt dan tot een marktwaarde van eenheden van rond 1 euro.*

Het omgekeerde is ook waar: Zolang het Circuit nog weinig leden heeft, mist een bedrijf dat niet meedoet maar een enkele potentiële klant. Dat kun je je als bedrijf vaak nog wel permitteren. Maar geen enkel bedrijf zal een grote groep potentiële klanten willen mislopen door geen betalingen via het circuit te accepteren. Alles staat of valt dus met de voorlopers die in een vroeg stadium lid willen worden, wanneer het Circuit nog weinig te bieden heeft.

Het Circuit zal in Nederland wat ons betreft bestaan uit verschillende subcommunities met elk hun eigen identiteit, die via het Circuit samenwerken. Deelnemers doen straks in eerste instantie zaken met bedrijven binnen hun eigen subcommunity, maar kunnen veelal ook bij bedrijven in andere communities hun koopkracht besteden. Elk van deze communities kan in principe zelf kiezen in hoeverre ze wil samenwerken met de andere. Het overkoepelende Circuit zorgt voor regels die de samenwerking voor ieder voordelig maken en de subcommunities versterken.

De basis van alle activiteit is dat er voldoende aandacht wordt besteed aan de garanties voor de verstrekte kredieten, want dat is cruciaal voor een succesvolle onderlinge uitwisseling.

Als er voldoende bedrijven zijn waar je termijn-euro's kunt besteden en je ook nog eens de zekerheid hebt dat deze binnen enkele maanden gewoon eurowaarde hebben, hoeft het voor niemand een probleem te zijn om termijneuro's te accepteren.

We peilden het afgelopen jaar bij uiteenlopende groepen en individuele mensen of ze geïnteresseerd zijn. Die gesprekken hebben ons vertrouwen gegeven dat er voldoende belangstelling is om een volgende stap te zetten.

We spraken met broodfondsen, MKB-afdelingen, bedrijfsketens zoals in de grafische industrie en de bouw, lokale Bartercommunities, koop-lokaal-voedsel-initiatieven, groepen ZZP-ers, gemeentes met veel werkloosheid enzovoort. En dan zijn er in Nederland ook nog eens tientallen initiatieven die het kopen van lokale producten stimuleren: Lekker Utregs, Puur Texels, Lazuur Food Community in Wageningen; allemaal initiatieven met hun eigen leveranciers en klanten.

En ongetwijfeld zijn er ook provincies en gemeentes die meer krediet mogelijk willen maken voor bedrijven in hun gemeenschap en/of iets aan de werkloosheid willen doen. Wellicht gaan ook zij meehelpen om Social Trade in Nederland te realiseren.

Op www.socialtrade.nl/circuitnederland vindt u een lijst met de commities en de links naar hun respectievelijke websites.

## VERSTERK HET NEDERLANDSE CIRCUIT

Uw deelname gaat het mogelijk maken een alternatief van de grond te krijgen! Niet alleen een alternatief voor de banken, maar voor het geld zelf. U heeft de hoognodige doorbraak naar een ander soort geld in eigen hand. Wordt daarom lid van het Nederlandse Social Trade Credit Circuit, of u nu consument bent of een bedrijf hebt. Voor sommigen zal het motief om mee te doen puur economisch zijn, maar anderen laten er mee zien dat ze de graaicultuur in de banken zat zijn. Door mee te doen, staat u zelf aan de basis van een ander soort geld, zonder ingebouwde uitbuiting en groeidwang. Zo helpt u mee aan een wezenlijke economische transitie en een nieuwe samenleving.

Meer informatie op pagina 31 e.v.

## Help mee aan een @nder soort geld: **geef dit boek door!**

Dit doorgeefboek geeft u de kans om andere mensen te betrekken bij de doorbraak naar ander geld. En dat is nodig, want alleen als voldoende mensen meedoen gaat het lukken. Hoe meer het boek een door- en doorgeefboek is en van hand tot hand gaat en hoe meer nieuwe doorgeefboeken er in omloop komen, des te meer mensen ervan horen. En als een deel van die mensen mee gaat doen, is de kans op een doorbraak weer groter. Daarom moeten er veel boeken worden gestuurd aan mensen bij wie we het vertrouwen hebben dat ze meedoen aan de afspraak:
DOORBREEK DE KETEN NIET, MAAR GEEF HET BOEK DOOR.
Zo blijft het boek circuleren en komen heel veel mensen te weten dat we een kans hebben op een doorbraak naar een ander soort geld, met meer kansen voor zwakkeren, zonder de groeidwang en de graai- en bonusindustrie van de financiële wereld.

Wilt u het boek houden, maak dan €20 over op Triodos-rekening **NL97 TRIO 0784 911622** t.n.v. Stichting STRO, Utrecht o.v.v. **'Reeds ontvangen Een @nder soort geld'**, zodat wij weer een nieuw boek naar een nieuwe lezer kunnen sturen.
U kunt ook extra boeken bestellen om die zelf te verspreiden. Houdt per boek (met porto) €20 aan en doneer voor zoveel boeken als u denkt te kunnen verspreiden. Vermeldt dan: **'Stuur mij ...... exemplaren van Een @nder soort geld'.** Vermeldt daarbij ook uw adres.
Met een donatie van €20, €40, €60, enzovoort, vergroot u de kans op een ander soort geld in Nederland. Bestellen kan ook via **www. socialtrade.nl** of per telefoon: **030-2314314**

En wilt u iets doneren: graag overmaken op Triodos-rekening **NL97 TRIO 0784 911622** t.n.v. Stichting STRO, Utrecht o.v.v. **'Donatie'**

# Een nieuwe manier van armoede-bestrijding: betalingen van basisinkomen via een Social Trade Circuit

STRO bouwt aan renteloos geld, omdat wij geloven dat dat meehelpt de stress uit de samenleving te halen en de druk op de natuur te verminderen. We zien ook dat zulk geld betere kansen biedt aan mensen in arme regio's. Ook in gebieden waar zo weinig lokale koopkracht aanwezig is, dat nieuwe bedrijven er geen enkele kans hebben. Gebieden waar voor ondernemende mensen nu geen ander alternatief is dan te emigreren. STRO wil dat deze mensen de kans krijgen om dáar iets van hun leven en van de samenleving om hen heen te maken.

Hoe kan de nieuwe technologie in Cyclos daar het slimst voor worden ingezet? Dat wil STRO graag uitzoeken met een grootschalig test- en voorbeeldproject in een arme regio, dat bovendien lang genoeg draait om stevige conclusies te kunnen trekken. In dat voorbeeldproject moet met name blijken of overheids- en donorgeld in zo'n regio effectiever kan worden ingezet met behulp van het Social Trade Credit Circuit. De door Helen beschreven successen, zoals die in de wijk Conjunto Palmeiras in Fortaleza in Brazilië, maken ons optimistisch dat dat kan. We hopen in de komende jaren de kans te krijgen om te laten zien hoe de nieuwe IT-innovaties daarvoor gebruikt kunnen worden. Bij succes krijgt armoede-bestrijding een totaal nieuwe dimensie.

**Het basisinkomenexperiment in Mincome, Canada**

Als je weet hoe effectief een basisinkomen de armoede de wereld uit helpt, ligt het voor de hand om de nieuwe technologie in combinatie met een basisinkomen te testen.

Al in 1948 bepleitte de Nederlandse topeconoom en Nobelprijswinnaar Jan Tinbergen een basisinkomen als dé aanpak om de economie in arme landen op gang te krijgen. Eerder nog legde de econoom Silvio Gesell het verband uit tussen basisinkomen en geld. Hij stelde voor om met een belasting op het ongebruikt laten van geld en een belasting op grond(stoffen) alle vrouwen en kinderen(!) een basisinkomen te verschaffen.

De *Social Credit Beweging* in Canada zette zich daadwerkelijk in voor een basisinkomen voor de armste mensen. Dat moest door de overheid gefinancierd worden uit de vergroting van de geldhoeveelheid die jaarlijks nodig is vanwege de productiviteitsgroei.

Veel mensen denken dat een basisinkomen mensen lui maakt, maar uit de concrete gevallen waar het is toegepast, blijkt dat niet. Arme mensen blijken een basisinkomen te gebruiken om vooruit te komen. Enkele voorbeelden uit een artikel van **Rutger Bregman** in het internettijdschrift *De Correspondent* laten dat zien. Rutger werkt aan een boek waarin hij de effectiviteit van een basisinkomen onderzoekt.

In 1973 besloot een provincie in Canada tot een experiment met een uitkering zonder voorwaarden. Wat zou daarvan het effect zijn? Eerder hadden economen al vastgesteld dat uitkeringen aan mensen zonder veel inkomen goed waren voor de stabiliteit van de economie. Want als mensen tijdens recessies werkloos werden, bleef zo de koopkracht op peil, en ontstond er geen neerwaartse spiraal.

Als testplek koos men Dauphin, ten noordwesten van Winnipeg. Er was voor de test in dit stadje 17 miljoen dollar beschikbaar. Dertig procent van de 13.000 inwoners had niet veel inkomen en kreeg voortaan gratis geld. Omgerekend in dollars van nu ontving een gezin met vijf mensen zo'n 18.000 dollar per jaar.

Na vier jaar kwam het experiment ten einde. Niet omdat het mislukt was, maar omdat de nieuwe regering, zonder naar de feiten te kijken, het project maar niks vond. Populistische argumenten waren daarbij gauw gevonden: te duur, verwennerij, enz.

De vraag is natuurlijk wat de gevolgen echt waren. Maar dat werd toen niet uitgezocht. De overheid ontsloeg de onderzoekers die het project evalueerden. Zo zorgde men dat niet de feiten, maar de politieke mening bepaalde dat het experiment als mislukt de geschiedenis in zou gaan.

Rutger Bregman beschrijft hoe in 2004 Evelyn Forget, professor aan de universiteit van Manitoba, kennis nam van het experiment. Het duurde vijf jaar voor zij toegang kreeg tot de verzamelde gegevens. Maar toen ze eenmaal de gegevens had en kon bewerken met de moderne statistische technieken, ontdekte ze dat dit basisinkomenexperiment een groot succes was geweest:

1. Jongeren trouwden later.
2. Het geboortecijfer daalde.
3. Schoolprestaties verbeterden aanzienlijk.
4. Kostwinners gingen nauwelijks minder werken.

5. Vrouwen gebruikten het basisinkomen voor een paar maanden zwangerschapsverlof, jongeren voor een langere studietijd.
6. Ziekenhuisbezoek nam met 8,5 procent af.
7. Huiselijk geweld verminderde.
8. En ook psychische problemen namen significant af.

Dit is een indrukwekkende lijst en wie dit leest moet het idee van een basisinkomen haast wel serieus nemen. Rutger Bregman berekent dat alleen al het lagere ziekenhuisbezoek in het Nederland van nu minstens zeven miljard euro per jaar zou besparen.

Latere experimenten met een basisinkomen laten eenzelfde beeld zien. Een groep daklozen kreeg een paar duizend euro aan geld in een keer. Het project bleek een succes. Een groot aantal van hen keerde terug in een sociale omgeving en kickte af van drugs. Verrassend was ook dat na een jaar de meeste zwervers nog maar een klein deel van het geld hadden uitgegeven. Rutger Bregman citeert het zakenblad *The Economist*: 'De efficiëntste manier om geld te besteden aan daklozen is het ze gewoon te geven.'

Nog veel meer onderzoeken laten zien dat het verspreiden van koopkracht onder arme mensen goede kansen geeft op ontwikkeling. Onder meer in Brazilië en Mexico, landen met grote bijstandsprogramma's, blijken de gevolgen positief. Ook onderzoekers van de OESO (de club van rijke landen) vonden veel voorbeelden dat een basisinkomen een effectieve manier van armoedebestrijding is.

In een experiment in Namibië nam niet alleen de ondervoeding met 25 procent af, maar daalde ook de criminaliteit met 42 procent. Het basisinkomen geeft ook perspectief op langetermijnverbetering doordat het schoolbezoek sterk toeneemt. In Brazilië is schoolbezoek van de kinderen zelfs voorwaarde voor het ontvangen van het geld. Vooral meisjes blijken na invoering van een basisinkomen veel meer naar school te gaan.
Rutger Bregman vat het OESO-onderzoek zo samen:
1. Huishoudens maken goed gebruik van het geld.
2. De armoede neemt af.
3. Het basisinkomen genereert meer ander inkomen, een betere gezondheid en meer belastingopbrengsten.
4. Mensen gaan er niet minder door werken.
5. Het basisinkomen wint het niet alleen qua effect van andere hulpprogramma's, het is ook nog eens goedkoper.

**Een basisinkomen uitkeren binnen een Social Trade Credit Circuit**
Wij denken dat een basisinkomen nog veel effectiever wordt, als je ervoor zorgt dat het geld vaker lokaal gebruikt wordt, voordat het wegstroomt naar de wereldmarkt. Wij zouden graag onderzoeken wat er gebeurt als een basisinkomen beschikbaar komt in een Social Trade Credit Circuit. Wat gebeurt er als er in een arm gebied gedurende een aantal jaren een basisinkomen uitbetaald wordt, dat eerst een x-aantal keren in de eigen omgeving besteed moet worden voordat het de wijde wereld in kan? Gaat het geld dan ook nog eens voor meer banen zorgen, waardoor de armoede effectiever wordt bestreden?

STRO betoogt al jaren dat microkredietpropagandisten te vaak vergeten dat ondernemers ook klanten nodig hebben die bij hen kopen. Omgekeerd: als er koopkracht is, komen er waarschijnlijk ook meer mini-ondernemingen. In het project van Banco Palmas was ook de eerste stap het uitbrengen van een kredietkaart voor consumenten die alleen in de wijk gebruikt kon worden. Zo werd zekergesteld dat er meer geld beschikbaar kwam voor lokale onderneminkjes.

Waar de uitkeringen in een echt arme regio feitelijk een basisinkomen zijn, zouden deze (en andere) overheidsuitgaven via een aparte community moeten lopen waarbij de Cyclos-innovaties zorgen dat dit geld vaker in die regio gebruikt wordt. Zo wordt de koopkracht van dat geld voor een langere periode in zo'n arme regio vastgehouden. Dat levert meer lokale productie op, meer banen, meer inkomsten voor bedrijven, meer ruimte voor kredieten, en natuurlijk meer belastinginkomsten!

Desgewenst kan de software zo ingesteld worden dat ongebruikt geld een negatieve rente betaalt, wat voor de bezitters een stimulans kan zijn hun geld sneller uit te geven. Daardoor gaat het geld vlotter rond en hebben meer mensen kans een inkomen te verdienen. De opbrengst van die negatieve rente en de extra inkomsten van de gewone belasting – dankzij de extra economische activiteit – kunnen samen al een deel van het basisinkomen financieren. Het is de moeite waard om te onderzoeken of die inkomsten dicht bij kostendekkend kunnen komen in regio's met genoeg potentie voor onderlinge handel en geschikte culturele omstandigheden.

Voor zo'n voorbeeldproject heeft STRO verschillende ijzers in het vuur.

In **Uruguay** wordt nu al een klein deel van de bijstandsuitkeringen met Cyclos-software overgemaakt, waarbij gestuurd door de software dit geld vooral voor voedsel en studieboeken gebruikt wordt. Het is nu nog een klein experiment dat lang niet alle mogelijkheden van Cyclos gebruikt, maar wie weet...

In **Zuid-Afrika** zijn twee instanties geïnteresseerd. De ene verzorgt een programma dat plattelandsjongeren aan de slag helpt op boerenbedrijven. De andere betreft uitvoerders van het uitkeringsprogramma van de stad Johannesburg. Daar werken we nu mee aan een project met de naam GEM. (Zie http://www.gemproject.org.)

In **Mexico** was Ramiro Ornelas Hall vele jaren de organisator van het programma voor bijstand-basisuitkeringen. Hij nam deel aan een conferentie in Uruguay waar de STRO-aanpak om meer economische impact aan uitkeringen te geven, besproken werd. Andere deelnemers waren twee staatssecretarissen uit Chili, de directrice van het bijstandsprogramma in Paraquay, vertegenwoordigers van Uruguay, van de Wereldbank en de Inter American Developmentbank.

Ramiro Hall bleek erg geïnteresseerd. Hij zag goede mogelijkheden voor een programma in een afgelegen gebied van Mexico. Daar worden juist telefoonmasten geïnstalleerd, een voorwaarde voor transacties waarbij we zelfs de meest simpele mobieltjes toegang tot een bankrekening kunnen bieden. 'Hoeveel mensen krijgen in dat afgelegen gebied een uitkering?' vroegen we. Hij antwoordde tot onze verrassing: 'Het aantal mensen dat daar kan gaan meedoen is meer dan een miljoen.' U begrijpt dat dit een goede kans leek. Helaas werd bij de verkiezingen een nieuwe president gekozen en Ramiro verloor de baan die hij twaalf jaar lang had gehad. Laten we hopen dat hij nog eens terugkeert op zijn positie.

Hetzelfde geldt voor Patrus Ananias uit **Brazilië**, die de *Bolsa Familia,* een basisinkomen voor arme families, invoerde. Tijdens de conferentie was hij al geen minister meer. Hij gaf aan dat als Lula ooit weer president zou worden en hij weer minister, hij wilde gaan kijken welk effect een half/open betaalcircuit biedt.

*'Vanuit mijn werk aan de Rijksuniversiteit Groningen, waar ik o.a. supply chain management doceerde, heb ik inzicht in het functioneren van branches en supply-netwerken. Volgens mij is het Social Trade Credit Circuit hier zeer bruikbaar.*
*Er is bij supply-netwerken de laatste tijd veel belangstelling voor mogelijkheden de keten een rol te laten spelen in de financiering van de onderlinge transacties (supply chain finance). Het gebruik van termijn-euro's kan daarbij een belangrijke rol spelen. Het omvat ook mogelijkheden van reverse factoring (confirming). Nu blijven de voordelen van reverse factoring nog teveel beperkt tot de grote leveranciers van de hele grote bedrijven of overheden. Bij gebruik van termijn-euro's kunnen ook MKB-leveranciers profiteren, net als de leveranciers van de leveranciers.*
*Het gebruik van termijn-euro's kan ook gemakkelijk gecombineerd worden met een bredere contracyclische kredietverlening. Ik hoop dat in opkomst zijnde kredietunies inzien dat dit hen een unieke innovatiemogelijkheid biedt. De positieve effecten van het gebruik van termijn-euro's zijn: goedkoper werkkapitaal, bredere kredietverlening en minder afhankelijkheid van banken.*
*Voor zakendoen en 'business' genereren zijn nodig: durf, oog voor de mogelijkheden van samenwerking en een nuchter oordeel. Het zou mooi zijn als clubs van ondernemers – regionaal of branchegewijs, en eventueel georganiseerd in kredietunies – die kwaliteiten toepassen op het zelf, onderling, organiseren van financiering. Met het softwarepakket Cyclos 4 is het gereedschap beschikbaar om aan de slag te gaan.'*

**Jacob Wijngaard**, *emeritus hoogleraar productiemanagement en betrokken bij de ontwikkeling van een Social Trade Credit Circuit in Nederland*

# Het Social Trade Credit Circuit

Veel van de fatale effecten van geld ontstaan door de kunstmatige schaarste aan ruilmiddel. Die schaarste ontstaat als het ruilmiddel gemonopoliseerd wordt en geld gebaseerd wordt op rentedragende schuld. Door ruilmiddel te maken van claims op toekomstig geld verdwijnt de kunstmatige schaarste aan geld en de daardoor veroorzaakte rente. Het verschil met gewoon geld is dat deze claims gedurende de periode dat het nog wachten is tot het gewoon geld wordt, in een apart betaalnetwerk zit. En daar kunnen spelregels gelden die gekozen worden door de deelnemers. Dit verschil maakt dat dit andere geld juist dienstverlenend is. Samenwerken wordt belangrijker dan concurreren. Dit nieuwe geld is 100% digitaal. Daarom noemt STRO het 'een @nder soort geld'. Het heet ook wel termijngeld, of regio-euro's.

Dit Social Trade-ruilmiddel ontstaat:

- **doordat mensen bestaand geld omzetten in regionaal geld;**
- **door een toekomstige betaling van geld beschikbaar te maken als gestandaardiseerde en gedekte liquiditeit binnen een ruilcircuit dat werkt met claims op geld;**
- **door een krediet, waar wel een (verzekerde) schuld tegenover staat, maar dan zonder rente.**

Banken zouden via een speciale rekening courant zo'n @ander soort geld kunnen faciliteren. Maar dat zou, volgens de Deutsche Bank, 'hun meest winstgevende activiteit kannibaliseren'. Dus de kans dat een op winst gerichte bank dat doet is niet heel groot.

Gelukkig is een bank niet nodig om de Social Trade-aanpak te kunnen realiseren. Wel is het lastiger om een alternatief buiten een bank om te ontwikkelen. Het moet dan al vanaf het begin erin slagen echt aantrekkelijk te zijn voor een grote groep gebruikers. Een beetje een kip-ei probleem. In elk van de Europese (proef)projecten hebben we partners gevonden die voor een vliegende start kunnen zorgen.

Om een Social Trade Circuit in Nederland te kunnen opzetten moeten we dus eerst een breed scala aan partners zoeken. Maar het feit dat een Social Trade Credit Circuit krediet kan geven als banken het laten afweten, is natuurlijk wel een heel sterk argument. En het is nog goedkoper ook! Dat zijn twee goede redenen om mee te doen aan een Social Trade Credit Circuit.

Natuurlijk zijn de voordelen die het Circuit de ene deelnemer biedt, de last van een andere deelnemer. Leveranciers, die in het Circuit een nieuwe klant vinden, betalen bijvoorbeeld een bijdrage aan een Garantiefonds. En binnen de termijn is de besteedbaarheid beperkt, namelijk alleen bij leveranciers die ook meedoen of mee willen gaan doen in het Circuit. Maar zelfs voor die leveranciers is het toch voordeliger om mee te doen en de kosten te dragen, dan om buiten het Circuit te blijven en te wachten op klanten die niet komen. Lees hier hoe dat zit.

## BEDRIJVEN DOEN MEE: TOCH KREDIET EN NOG GOEDKOPER OOK!

**Onze Trots** is een familiebedrijf. Er zijn tegenwoordig minder klanten en die klanten betalen ook nog eens later. De grootste klant eist zelfs de rekening een half jaar te mogen laten liggen. Onze Trots moet dit wel accepteren, want die klant is essentieel voor hun bestaan. Maar zo wordt het familiebedrijf ineens financier en daar hebben ze het geld niet voor. En hoe moeten ze intussen zelf nieuwe voorraden betalen? Onze Trots komt in de problemen.

De bank, waar Onze Trots al generaties bankiert, doet moeilijk. De bank is bang dat de extra rentelasten van een lening het bedrijf de das om zullen doen. De bank wil wel de uitstaande rekeningen belenen. Ze is bereid dit geld te lenen, op voorwaarde dat de klanten nu de rekening aan de bank verschuldigd zijn, in plaats van aan Onze Trots. De bank heeft dankzij deze factoring-constructie nauwelijks risico. Maar waar de bank eerst dacht dat de extra rentelasten misschien teveel worden voor Onze Trots, rekent ze nu behoorlijk voor deze factoring. De bank heeft zich ingedekt, maar voor Onze Trots blijft het tobben. Cash van de bank in ruil voor de rekeningen kan Onze Trots in steeds grotere problemen brengen vanwege die rentekosten.

Ook **boekhandel Havel** heeft het moeilijk. Mensen kopen minder boeken en Bol.com is een geduchte concurrent. Toch waarderen veel mensen dat er nog een boekhandel is, waar je boekbeleving hebt en een boek eerst even kunt inzien. Havel denkt dat de winkel een plek moet worden waar je graag even naar toe gaat en waar Havel aan dat bezoek zelf iets kan verdienen. Havel denkt aan een tearoom in een hoek van de winkel. De verbouwing kost € 20.000. Dat geld heeft Havel niet. Toch moet het er komen, anders wordt de winkel zeker niet meer rendabel.

Een reguliere bank is niet scheutig met kredieten en zeker een boekhandel kan het schudden. Die branche heeft een slechte naam. De bank gaat uit van risico's, niet van mogelijkheden.

Dan horen Onze Trots en Havel van het Social Trade Credit Circuit. De bedrijven bestuderen hoe het werkt en besluiten lid te worden. Ze begrijpen dat hun toekomst afhangt van de vraag of hun leveranciers vertrouwen hebben in de regio-euro's die ze betaald krijgen. Kunnen ze die binnen het Circuit besteden en/of er uiteindelijk euro's voor krijgen? Omdat dit afhangt van de mate waarin de regio-euro's verzekerd zijn, willen ze precies weten hoe dat werkt. In het Circuit blijken drie lagen van zekerheid te bestaan.

1) Allereerst zijn Havel en Onze Trots bekende lokale bedrijven. Zolang ze bestaan, zullen ze terugbetalen en zijn de regio-euro's waarmee zij betalen gedekt.
2) Mochten ze failliet gaan dan heeft het Circuit een Garantiefonds. Daarbovenop is er ook nog eens een verzekering. Dat geeft vertrouwen.
3) Met vertrouwen in de claim op euro's in de toekomst, blijft nog wel de vraag hoe de leveranciers van Onze Trots en Havel (hier is de leverancier de aannemer) zover te krijgen een betaling in het Circuit te accepteren en hun steentje bij te dragen aan het Garantiefonds.

De verzekering keert uit als de gemiddelde wanbetalingen de 10% overschrijden. Zo'n verzekeraar beoordeelt alle risico's en verzekert het hele pakket van leningen. Uiteraard probeert de verzekeraar bij de beoordeling van kredietaanvragen de risico's zo klein mogelijk te houden. Om te zorgen dat de verzekeraar zelf ook een risico neemt en niet al te gemakkelijk de premie verdient, is de afspraak dat de verzekeraar pas betaald krijgt als meer dan 5% van de kredieten oninbaar blijkt. Want dan is het verzekeringsbedrijf duidelijk te voorzichtig geweest. Bij de selectie gaat de verzekeraar daarom uit van een gemiddeld risico van 7%. Dan heeft hij nog een marge voordat hij moet uitkeren en een goede kans om de premie binnen te halen.

Het Garantiefonds moet dus zelf alle wanbetaling tot 10% kunnen opvangen. Dit fonds dekt dus het 'normale' risico.

Een bank geeft geen krediet als het risico meer dan 3% is. De verzekeraar van het Circuit houdt als grens een risico van 7% aan. Zo komen in het Circuit veel meer bedrijven in aanmerking voor krediet dan bij de banken.

De verzekeraar beoordeelt het risico van een krediet voor Onze Trots en Havel positief. Zij vallen binnen de 10%. Havel en Onze Trots moeten de kosten van de evaluatie betalen.

Dat positieve oordeel is niet alleen het gevolg van de hogere risicogrens die toegepast wordt. Ook het kostenplaatje telt. De verzekeraar weet namelijk dat Havel en Onze Trots geen rentekosten betalen over de lening. En bovendien is de kans groot dat een gedeelte van de koopkracht van leningen aan andere leden bij hen besteed gaat worden. Dit vergroot de kans dat Havel en Onze Trots daadwerkelijk in staat zullen zijn terug te betalen.

Havel vraagt de plaatselijke **aannemer Buurtbouw** of hij de klus wil doen. Hij vertelt de aannemer dat deze 8% commissie moet afdragen aan het Garantiefonds van het Circuit. Daar staat tegenover dat hij onmiddellijk krijgt uitbetaald. Maar dan wel in regio-euro's, die (tot de termijn van een jaar verstrijkt) alleen binnen het Circuit besteed kunnen worden.

Buurtbouw zegt tegen Havel: 'Ik kan niet een jaar op mijn geld wachten. Mijn personeel moet ik toch betalen, daar zit de pijn niet. Maar de rekening voor het materiaal van de verbouwing kan ik echt niet een jaar laten liggen. En 'regio-euro's', wat moet ik daarmee?'

Hij biedt Havel nog korting maar dan blijkt dat de deal niet doorgaat, omdat geen bank Havel krediet wil geven en binnen het Social Trade Credit Ciruit is het nu eenmaal de regel dat de leverancier van de kredietnemer bijdraagt aan het kredietrisico. Buurtbouw krijgt een folder mee van het Social Trade Credit Circuit met een drietal staafdiagrammen.

Die folder gaat over een bedrijf als het zijne.

'In deze slechte economische tijden,' zegt de folder, 'heeft u als ondernemer minder klanten en bestaande klanten besteden minder bij u. Het is voor u van levensbelang dat u nieuwe klanten binnenhaalt, maar daarop is weinig uitzicht. Hoe ver kunt u gaan om die klanten binnen te halen?

De eerste vraag daarbij is: Wat zijn de meerkosten van een extra klant? Deze meerkosten zijn uw variabele of flexibele kosten: het extra materiaal dat ingekocht moet worden, of de extra arbeidskracht die u speciaal voor deze klus moet inhuren, enzovoort. Vaste kosten, zoals gebouw en machines, betaalt u van de klanten die nog wel geld hebben om bij u te kopen.

De kostenopbouw van uw bedrijf is door de crisis veranderd. U maakt nauwelijks meer winst. In de eerste twee staafdiagrammen ziet u de prijsopbouw per product in de situatie voor de crisis en nu. Het derde diagram laat de kostenstructuur van een extra klant zien.'

'Voor de crisis kon u alles verkopen wat u produceerde en de vaste kosten over al die klanten doorberekenen. U draaide met winst. In dit voorbeeld werd voor de crisis de opbrengst van de verkopen voor 40% besteed aan de vaste kosten, zoals machines, gebouwen, administratie. 35% was nodig voor de flexibele kosten, zoals extra arbeidskosten, materiaal en halffabricaten. De overige 25% was winst. Dat waren mooie tijden, nietwaar?

Door de crisis zet u nu minder om. De flexibele kosten per product zijn onveranderd gebleven; ze blijven 35%. De vaste kosten moeten nu echter over minder klanten verdeeld worden en vragen daarom een groter deel van de verkoopprijs; ze stegen tot 63%. Dat gaat ten koste van de winst; die is nog slechts 2%.

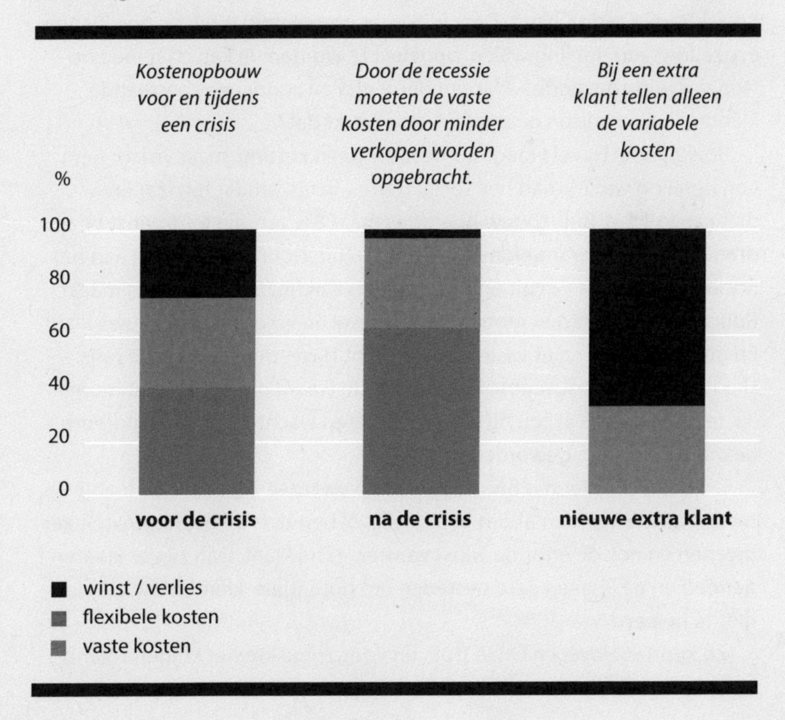

De derde kolom laat de situatie zien die ontstaat als u een extra klant binnenhaalt. Die is erg profijtelijk, want de vaste klanten dekken de vaste kosten al. Die neem je dus niet mee in de berekening van de extra klant. Uiteraard tellen de kosten per product wel. Die flexibele kosten zijn nog steeds 35% van de verkoopprijs.

Een nieuwe klant een forse korting bieden kan er met zo'n winst wel uit. De vraag is dan wel of bestaande klanten dan niet diezelfde voordelige prijzen zullen eisen. De middelste kolom laat zien hoe weinig ruimte er is om hen lagere prijzen te bieden.

De conclusie is dat u strikt financieel-economisch geredeneerd wel een korting kunt bieden aan nieuwe klanten, maar dat u dat in de praktijk niet moet doen omdat dat de verhouding met de reguliere klanten verstoort,' zegt de folder.

Aannemer Buurtbouw zit in deze situatie. Voor hem is de opdracht ongelooflijk voordelig: Doordat hij personeel kan inzetten waarvoor hij nu te weinig werk heeft, maar dat hij wel vol betaalt, is maar liefst 63% van wat de nieuwe klant opbrengt winst. Dus kijkt hij serieus naar het idee van het Social Trade Credit Circuit. Daar blijkt het probleem dat bestaande klanten eenzelfde behandeling willen, opgelost te worden. Je kan daar nieuwe – en dus winstgevende – klanten binnenhalen zonder dat bestaande klanten lagere prijzen gaan eisen. Hoe werkt dat?

Boekhandel Havel vraagt Buurtbouw geen korting, maar vraagt hem een betaling van 8% aan het Social Trade Circuit, omdat hij daar krediet kan krijgen. Buurtbouw hoeft dus maar 8% van zijn 63% winst bij te dragen aan het Garantiefonds van het Circuit. Door mee te doen aan het Social Trade Credit Circuit en bij te dragen aan het Garantiefonds maakt Buurtbouw dus krediet mogelijk voor Havel en krijgt hij een nieuwe klant. En geen probleem met vaste klanten want Havel betaalt de volle prijs. Het is voor Buurtbouw absoluut de moeite waard om het krediet mogelijk te maken, zelfs al zou hij een jaar moeten wachten tot de regio-euro´s gewone euro's zijn geworden.

Dit betekent niet dat Buurtbouw altijd wel mee wil doen. Zodra hij meer klanten heeft en al zijn personeel vol benut, is de overcapaciteit verdwenen en ook de enorme winst van een extra klant. Dan zijn er klanten genoeg en ga je geen geld besteden om potentiële klanten aan een krediet te helpen.

Zo kunnen Havel en Onze Trots dit voordelige krediet krijgen zolang leveranciers verderop in de keten overcapaciteit hebben.

Buurtbouw is om. De aannemer wil wel voor regio-euro's Havel's boekhandel verbouwen. Hij zegt: 'Als ik ze niet kan besteden worden het uiteindelijk toch gewone euro's en ik ben blij dat het Circuit mij nieuwe klanten brengt. Daarvoor heb ik die commissie van 8% graag over.'

Wat Buurtbouw ook bevalt is dat de bedrijven waar hij dit duur verdiende geld besteedt ook meebetalen aan de kosten van het krediet. Zij profiteren immers net zo hard van de koopkracht die er niet zou zijn als hij niet de eerste stap had gezet. Deze bedrijven betalen een negatieve rente op de termijn-euro's die ze ongebruikt laten in het Circuit. 'Die omloopheffing is een slim idee,' zegt Buurtbouw, 'wie zijn verdiensten snel uitgeeft betaalt nauwelijks. Zo blijft geld rollen. Dat geeft mij extra kans om nog meer klanten te krijgen. En intussen levert het ook geld op voor het Garantiefonds.'

Die omloopheffing kan bijvoorbeeld een negatieve rente zijn van 0,5% per maand. 2% daarvan is nodig om de 8% bijdrage van de aannemer aan te vullen tot de 10% die het Garantiefonds nodig heeft. Verder zal zo'n 1,5% nodig zijn om de premie te betalen voor het herverzekeren van de risico's boven de 10%. De resterende opbrengst kan dan gebruikt worden voor de systeemkosten van het Circuit, voor mensen die meehelpen de partijen bij elkaar te brengen en voor investeringen in innovatieve bedrijven die binnen het Circuit voortrekker kunnen worden van een nieuwe duurzamere economie.

Als het geld voor Onze Trots en Havel van een bank kwam, zou dat komen uit een mix van spaargeld en nieuw gecreëerd geld (zie p. 54-55 van *Een @nder soort geld*). Maar het Circuit is geen bank en heeft, doordat het tijdelijk buiten de gewone geldeconomie opereert, ook geen geld nodig. Kredieten worden immers niet in geld uitgegeven maar in claims op de euro's die in de toekomst vrijkomen bij terugbetaling van de lening. Die claims zijn binnen het Circuit betaalmiddel. Aannemer Buurtbouw en de toeleverancier van Onze Trots krijgen dus geen geld in handen, maar een ruiltegoed, dat ze bij andere leden van het Circuit kunnen besteden, gebaseerd op de vordering van het Circuit op Havel en Onze Trots. Door de goede dekking van deze vorderingen is het zeker dat na afloop van de termijn de euro's ook echt aanwezig zijn.

Doordat het onderling betaalmiddel geen geld is, zijn er geen rentekosten. Die extra last drukt dus niet meer op het lenende bedrijf. Het Circuit loopt daardoor minder risico op wanbetaling dan een bank. Het ontbreken van rente maakt Havel en Onze Trots uiteraard zeer gemotiveerde propagandisten van het Circuit.

Het Social Trade Credit Circuit noemt de regio-euro's ook wel termijn-euro's, omdat Havel en Onze Trots ze na een bepaalde termijn moeten aflossen in gewone euro's – tenzij het hen gelukt is om de termijn-euro's voordien zelf al weer terug te verdienen.

Buurtbouw redeneert: 'Ik heb een verkoop en geef uitstel van betaling, maar ik weet wel zeker dat dat uitstel niet tot afstel leidt, want het Garantiefonds en de verzekering dekken die betaling.' De aannemer kán gewoon wachten tot de looptijd van Havel's lening verstreken is en dan de euro's cashen. Dat kost hem wel een kredietbijdrage van 0,5% per maand, maar met de 55% die overblijft nadat de 8% voor het Garantiefonds van zijn winst van 63% is afgegaan, is dat geen enkel probleem. In de praktijk gaat Buurtbouw natuurlijk proberen de termijn-euro's zo snel mogelijk te besteden. Zíjn leverancier hoeft geen 8% meer te betalen en die kan de kosten van de omloopheffing beperkt houden door zelf ook weer snel uit te geven.

De aannemer weet dat het betaalmiddel eigenlijk niets anders is dan een terugbetalingsbelofte van Havel die verzekerd en gestandaardiseerd is. Hij weet ook dat dat binnen het Circuit als liquide betaalmiddel gebruikt kan worden. Hij zal ongetwijfeld nagaan of hij die koopkracht bij andere leden kan besteden en wat het hem kost als dat niet lukt.

Zo biedt Buurtbouw onder meer de steenfabriek aan om stenen te kopen en te betalen in regio-euro's. Hij zegt: 'Moet je horen. Ik wil graag bij je kopen, maar kan nu alleen betalen met de betaalbelofte van mijn klant. Die betaalbelofte is goed verzekerd. Bovendien is het handige eraan dat jij deze betaalbelofte ook zelf als betaalmiddel kunt gebruiken. Tot de datum van uitbetaling van de claim worden de claims namelijk in een elektronisch betaalsysteem bijgehouden net alsof het al gewoon geld is.'

De aannemer vraagt ook **Het Leemhuis** om betaling in termijn-euro's te accepteren. Het Leemhuis is een eenmanszaak die leem als wandbekleding verkoopt. Leem is een prettige vochtregulator in huis en Het Leemhuis levert het in mooie natuurlijke kleuren. Het bedrijf werkt ook nog samen met een kunstenaar die, waar gewenst, prachtige reliëfs maakt in de lemen wanden.

Een lemen wand is duurder dan behang of gips. Doordat klanten tijdens een crisis voor goedkopere producten kiezen heeft Het Leemhuis moeite om genoeg klanten binnen te halen. Als de aannemer hem vraagt om als onderaannemer te werken tegen betaling van termijn-euro's, zegt de eigenaar van Het Leemhuis onmiddellijk ja.

Het Leemhuis doet vervolgens een klus voor de aannemer bij klanten in een luxe villa. Die klanten betalen Buurtbouw met gewone euro's en Buurtbouw betaalt op zijn beurt Het Leemhuis met de termijn-euro's die hij verdiend heeft bij Havel.

Op aandringen van de aannemer besluit Het Leemhuis dus ook lid van het Circuit te worden. Daar ontdekt Het Leemhuis dat binnen het netwerk geen gebrek aan geld is. Leden verdienen termijn-euro's en besteden die liever nu dan dat ze wachten tot de termijn verstreken is. Leem mag dan duurder en luxer zijn, en tijdens een recessie geen makkelijk verkoopbaar product, een bedrijf dat net een mooie winst heeft behaald met de verkoop van voorraden die het niet meer verwacht had te verkopen, verwent zichzelf soms met iets moois.

Hoe makkelijk leveranciers betaling in regio/termijn-euro's accepteren, hangt in eerste instantie af van wie er allemaal meedoen. Als alle bestaande bedrijven in het Circuit meedoen, kun je overal terecht. Of als de gemeente termijn-euro's accepteert als betaling wordt het voor veel meer bedrijven aantrekkelijk om termijn-euro's te accepteren. Hoe kleiner het ledenbestand, des te meer zullen bedrijven ervan uit gaan dat ze moeten wachten tot de termijn verstreken is. Maar als de termijn bijna is verstreken, groeit de kans dat een leverancier de termijn-euro's als betaalmiddel accepteert. Ze zijn dan al bijna euro's… Zo komen er steeds nieuwe leden bij het Circuit, waardoor het uitgeven van termijn-euro's weer makkelijker wordt.

Zodra de koopkracht onderling gaat rouleren, gaat niet alleen de leverancier van een kredietnemer, maar gaan alle deelnemers meer inkomsten krijgen. Dat geldt ook voor Havel en Onze Trots. Zij verdienen al een deel van de lening terug met extra verkopen aan andere leden in het Circuit. Zoals gezegd vergroten deze extra inkomsten de kans dat Havel en Onze Trots de lening ook daadwerkelijk kunnen terugbetalen.

Doordat Buurtbouw met 8% meebetaalde aan de garantie van het krediet aan Havel ontstond extra koopkracht. Gedurende de termijn dat Havel nog niet hoeft terug te betalen is dat: extra koopkracht voor alle leden in het Circuit. De meeste termijn-euro's zullen al gauw door de handen gaan van leveranciers van leveranciers. Al die bedrijven betalen nauwelijks mee aan de risicodekking van de koopkracht waar zij van profiteren. Omgekeerd helpt het de aannemer dat ze meedoen want dan kan hij zijn regio-euro's besteden en hoeft hij niet tot het einde van de termijn te wachten. Een bedrijf als Het Leemhuis heeft zo alle reden om lid te worden van het Circuit want het wil profiteren van de extra koopkracht van extra klanten, zelfs als Buurtbouw het niet vroeg om als onderaannemer een klus uit te voeren.

De eigenaar van de eenmanszaak Het Leemhuis gaat zeker ook zijn leverancier van leem binnen het netwerk halen. Maar hij gebruikt termijn-euro's ook voor privé-aankopen bij winkels die meedoen aan Social Trade. Soms krijgt hij termijn-euro's waarvan de termijn bijna afloopt. Die laat hij op zijn rekening staan om ze om te ruilen naar euro's. Bij zichzelf noemt hij dat 'het uitharden van de termijn'. Tsja, ieder benadert zo de wereld vanuit zijn eigen ervaringen.

Havel moet zijn terugbetalingsbelofte óf terugverdiend hebben óf opkopen in euro's. De marktwaarde van termijn-euro's ontstaat zo in een spel van vraag en aanbod. Doordat het Garantiefonds termijn-euro's uit de markt trekt, zijn er in de gewone markt minder termijn-euro's van Havel beschikbaar dan hij nodig heeft om terug te betalen. In zo'n markt zakt de prijs van de termijn-euro's niet onder de euro.

De software van STRO staat toe dat het regiogeld in kleine porties wordt gesplitst. De termijn-euro's, gebaseerd op de terugbetaalbelofte van Havel, komen zo op allerlei rekeningen terecht, vaak gemengd met stukjes claims op andere kredietnemers. De termijnteller van de Cyclos-software geeft voor elke rekening steeds aan wat de gemiddelde termijn is.

Je kan het je zo voorstellen dat elk digitaal 1euro-biljet een nummer heeft en dat in een centraal register de termijndatum van alle nummers wordt bijgehouden. De software berekent de gemiddelde termijn van al die nummers per rekening. Bij elke transactie ontstaat er vanzelf een nieuw gemiddelde, dat de eigenaar ziet op het rekeningoverzicht.

Bij het voorbereiden van het Europese Digipay4growth-project bleek dat veel lokale en regionale overheden serieus geïnteresseerd zijn om het lokale MKB aan meer krediet te helpen. En als de koopkracht die zo ontstaat een zekere tijd lokaal circuleert, levert dat meer banen en meer inkomen op voor de burgers en de bedrijven. Natuurlijk betekent dat ook meer belastinginkomsten en minder kosten aan bijstand.

In de meeste landen waar we nu het Social Trade Credit Circuit aan het introduceren zijn, is het gemeentes juridisch toegestaan om subsidies via het Circuit te laten lopen. Zij ruilen dan de euro's om voor regio-euro's en besteden die als subsidie. Daardoor hebben deze gemeentes de zekerheid dat die koopkracht minimaal een bepaalde termijn in de gemeente blijft. Met lokale belastingen in termijn-euro's kunnen deze regio-euro's weer worden terugverdiend.

Er is veel te doen over de betalingstermijnen bij de overheid. Een Social Trade Credit Circuit kan met *reversed factoring* speciaal gericht op de overheid de betaaltermijnen terugbrengen naar een paar dagen. Het rapport over ketenfinanciering, gemaakt door M3 en Zanders in opdracht van het Ministerie van Economische Zaken (Q4-2013), schat het extra krediet, dat gebaseerd is op betaalverplichtingen van overheden en grote kopers samen, in op 8,9 miljard euro. Doordat in een Social Trade Credit Circuit op basis van rekeningen die naar de overheid zijn uitgeschreven, gratis krediet naar de leveranciers kan gaan, kan deze aanpak een enorme stimulans voor het MKB betekenen.

In Bristol wordt dit gezien als de makkelijkste manier om een Social Trade Circuit de omvang te geven die nodig is, omdat heel veel bedrijven zullen willen meedoen aan zo'n netwerk – niet alleen de leveranciers van de overheid, maar ook veel andere bedrijven die geïnteresseerd zijn om die leveranciers weer als klant te krijgen.

Grote winkelketens hebben vaak loyalty-programma's om klanten binnen te halen. Het Social Trade Circuit biedt kleinere onafhankelijke bedrijven ook de kans om samen de koopkracht van consumenten binnen te halen. Ze geven klanten een 'stadspasje' waarop de winkel waar je wat in gewone euro's koopt, 'regiopunten' bijschrijft. De waarde daarvan bestaat uit regio-euro's. Die kunnen vervolgens bij alle leden van het Circuit besteed worden. Meestal zullen de regels van zo'n platform zo zijn dat de winkelier het meest aan deze bonus bijdraagt, maar dat de omloopheffing de winkelier helpt bij de betaling van zijn bonus.

Consumenten kunnen ook spontaan het Circuit steunen. Want ze zien bij regio-euro's de volgende pluspunten:

- **Je wilt bijdragen aan meer banen en inkomen in de regio. Dat is een indirect eigenbelang voor werklozen of ouders die meer bestaanszekerheid voor hun kind willen. Dit speelt sterk in Bristol.**
- **Je wordt lid omdat de samenwerkingseconomie je aanspreekt.**
- **Je ziet het Circuit als een alternatief voor de arrogante graaicultuur, en wilt niet dat de burgers straks weer de banken moeten gaan redden.**
- **Je doet mee vanwege de transitie naar een duurzamer economie. Dat geldt als het Circuit wordt benut om investeringen in duurzame innovaties mogelijk te maken.**

## STAP VOOR STAP NAAR EEN SOCIAL TRADE CREDIT CIRCUIT

1. Het begint normaal gesproken met bedrijven die behoefte hebben aan (goedkoop) krediet, dat ze van de bank niet kunnen krijgen. Ze richten een Social Trade Credit Circuit op.
2. Die groep bedrijven gaat naar andere bedrijven en overheden die regelmatig van hen kopen en maken die ook lid. Als het kan wordt de Social Trade versie van *reversed factoring* georganiseerd, want dat geeft een knallend startpunt om naar een compleet Circuit te komen dat ook kredieten kan geven. Met name als de overheid meedoet.
3. Tegelijk zullen er ook bedrijven lid worden omdat ze meer klanten willen, of zelfs een potentiële klant hebben die bij de bank geen krediet kan krijgen en dus niets koopt, maar via het Circuit misschien wel krediet kan krijgen om bij hen te besteden.
4. Dan beoordeelt een, door het Circuit ingehuurde, professionele instelling het risico van de kredietaanvragen. Daarbij worden ruimere criteria toegepast dan de banken hanteren. Bovendien helpt het natuurlijk dat het Circuit geen rente berekent en ook nieuwe klanten oplevert.

5. Als die instelling de aanvraag goedkeurt, kan het lid een krediet in regio/termijn-euro's krijgen, die de terugbetalingstermijn van de lening hebben. Een digitale datumteller houdt bij hoe ver het bedrag op de rekening nog afzit van omwisseling; oftewel hoeveel dagen deze koopkracht nog binnen het Circuit zal moeten blijven circuleren.
6. Het bedrijf dat de lening kreeg, probeert de termijn-euro's die in omloop kwamen bij zijn lening – of andere met ongeveer dezelfde termijn – te verdienen want dan kan hij de lening ermee terugbetalen. Hoe meer dat lukt, des te minder hoeft hij terug te betalen in euro's.
7. De leverancier waar het geld van het krediet besteed wordt, verdient dus de termijn-euro's en betaalt een commissie/bijdrage aan het Garantiefonds. De termijn-euro's die hij krijgt kan hij opvatten als een uitstaande rekening die verzekerd is. Tegelijk kan hij die termijn-euro's ook gebruiken als betaalmiddel binnen het Circuit.
8. Om te stimuleren dat de leverancier niet gewoon niks doet met het geld en wacht tot de termijn verstreken is, wordt op positieve saldi een negatieve rente geheven. Die heffing levert ook direct geld op voor (een deel van) het Garantiefonds, de systeemkosten en voor een investeringsfonds.
9. De leveranciers verder in de keten zien elke dag de afloop van de termijn een stapje dichterbij komen. Gaandeweg lijken de regio/termijn-euro's steeds meer op gewone euro's en worden daardoor makkelijker besteedbaar.
10. En dan breekt de dag aan dat de lening wordt afbetaald. Het bedrijf dat geleend heeft, probeert zoveel mogelijk in termijn-euro's terug te betalen en voor de rest betaalt hij euro's. Deze euro's komen dan beschikbaar om de termijn-euro's waarvan de termijn verstreken is, voor euro's in te wisselen.

## TOT SLOT

Waarom de termijn-euro's van het Social Trade Credit Circuit een ander soort geld zijn:

1. Termijn-euro's zijn 100% digitaal en zijn mogelijk dankzij de innovatieve toepassing van IT.
2. Termijn-euro's kunnen slechts onder vooraf vastgestelde voorwaarden naar euro's worden omgezet. Een van die voorwaarden is de termijn dat ze de groep, de regio of de doelstelling dienen. Gedurende die termijn circuleren ze in een digitale omgeving en zijn dus een soort geld waar je elke voorwaarde aan kunt verbinden: dat ze alleen in een bepaalde regio gebruikt mogen worden; dat ze bij niet gebruiken geld kosten; dat een krediet veel kost, of niets kost, of dat je zelfs geld toe krijgt. Dat het de duurzaamheid dient. Kortom, het is geld dat geregeerd wordt door de regels waarvoor de gebruikers kiezen. Dit in grote tegenstelling tot gewoon geld dat geen voorwaarden opgelegd krijgt, maar zelf voorwaarden stelt.
3. Een Social Trade Credit Circuit gebruikt deze mogelijkheden om extra krediet te genereren voor een economie die slecht draait doordat geld krap is.
4. Als gevolg hiervan wordt overcapaciteit beter benut, wordt koopkracht gestimuleerd en werkloosheid tegengegaan, juist in regio's die bij gewoon geld buiten de boot vallen.
5. Doordat er in het Circuit eigenlijk sprake is van onderling krediet met een dynamische dekking die ontstaat tijdens het gebruik, kan zelfs in zeer arme gebieden toch ruilmiddel ontstaan dat die regio bedient, ook al is er geen geschikt onderpand om leningen te dekken.
6. Het ruilmiddel is niet geschikt als oppotmiddel en de schepping valt buiten het monopolie van de banken. Dat kost geen geld, omdat geen rente verschuldigd is. Er hoeft nooit meer tekort te zijn aan geld: waar de economie behoefte heeft aan smeermiddel, kan dat er komen.
7. Door het ontbreken van de macht van geld, krijgen economische en ecologische criteria bij keuzes van bedrijven en overheden meer kansen.

8. Al met al creëert het een wereld(handel) gebaseerd op evenwichtige regio's.
9. Als de termijn verstreken is, kan de bezitter het lokale ruilmiddel omwisselen voor geld waarmee buiten de regio gehandeld kan worden.
10. De hele gemeenschap maakt de lokale geldschepping mogelijk, niet alleen degene die het geld leent.
11. Met de groei van het Circuit groeit de kans dat de bedrijven die geleend hebben, de termijn-euro's kunnen terugverdienen en hun lening ermee aflossen. Daarmee zijn euro's alleen nog rekeneenheid voor Social Trade termijn-euro's.
12. In de natuur heeft alles – uitgezonderd edelmetalen – een tijd van komen en een tijd van gaan. Gewoon geld heeft geen einddatum en dat dwingt ons elke dag om de verkeerde keuzes te maken. Termijn-euro's kennen wel een einddatum en lijden niet aan dit euvel.

## Nu van start met uw steun

**1.**

Steun STRO met een gift om een ander soort geld te realiseren. Maak uw gift over naar rekening **NL78 TRIO 0784 91 16 22** o.v.v. *'Donatie'.* STRO is een door de belastingdienst erkend goed doel (anbi). Daarom zijn uw giften aftrekbaar van de belasting.

**2.**

Betrek anderen bij het nieuwe geld door extra exemplaren van dit boek te bestellen en weg te geven. Maak per exemplaar €20,- over naar rekening **NL78 TRIO 0784 91 16 22** o.v.v.: *'Stuur mij...... exemplaren van Een @nder soort geld'.*

**3.**

Of doneer dat geld aan STRO, zodat wij meer exemplaren kunnen verspreiden. Vermeldt dan *'Verspreidt...... exemplaren van Een @nder soort geld'.* Wij kennen altijd nog wel geïnteresseerde mensen.

**4.**

U kunt zich ook op onze website aanmelden voor het Nederlandse Social Trade Credit Circuit in oprichting en zo meehelpen de kritische massa te bereiken die nodig is om het Circuit van de grond te krijgen. U betaalt € 100,- ledenkapitaal/inschrijfgeld op rekening **NL78 TRIO 0784 9115 76** o.v.v. *'Inschrijving'* en u krijgt een tegoed van R€ 75,- op uw rekening in het circuit.

**5.**

Wilt u een bedrag van boven de duizend euro aan STRO lenen, of rechtstreeks investeren in de nieuwe ontwikkelingen, neem dan contact met ons op:
*tel:* 030-2314314,
*e-mail:* info@socialtrade.org

# Een PowerPoint presentatie over het Social Trade Credit Circuit

In 2015 zal er in Nederland een Social Trade Circuit opgezet worden, gebaseerd op lokale initiatieven, soms met, soms zonder gemeentelijke overheden.
In de presentatie die hierna volgt, ziet u in vogelvlucht hoe dat Circuit zou kunnen werken.

Binnenkort ook op: www.youtube.com/user/SocialTradeOrg

In deze presentatie ziet u hoe dit Circuit het MKB aan krediet en extra klandizie helpt.

## De presentatie behandelt twee soorten krediet

1. Het grootste deel van deze presentatie gaat over het scheppen van extra **krediet voor het MKB in Catalonië**. Dit is **contra-cyclisch krediet** omdat dit krediet alleen mogelijk is zolang de leveranciers overcapaciteit hebben en er veel voor over hebben om extra klanten te krijgen.

2. Een vergelijkbare opzet is ook mogelijk **in Nederland, waarbij de reversed factoring** die in de laatste twee dia's aan bod komt de vaste leveranciers van gemeentes, provincies, het rijk en grote bedrijven nog extra kansen biedt om aan liquiditeit te komen gebaseerd op hun uitstaande rekeningen.

## 1) Contra-cyclisch krediet in Catalonië

- Krediet verstrekken aan Catalaanse coöperaties en bedrijven die nu geen lening kunnen krijgen, of alleen onder ongunstige voorwaarden.
- Mogelijk maken van meer regionale onderlinge handel.
- Betrekken van bedrijven bij een nieuwe economie op basis van economische voordelen.
- Introduceren van sociale en duurzame spelregels in de economie.

## In Circuit Catalonië blijft koopkracht een afgesproken tijd in de regio

- Dat gebeurt doordat euro's omgezet worden in claims op die euro's, die pas na een bepaalde termijn gecashed kunnen worden. Deze termijn- of regio-euro's zijn mogelijk geworden dankzij nieuwe technologie die de leeftijd van geld bijhoudt.
- Deze claims zijn het betaalmiddel in het Circuit.

- Ook wordt kortlopend handelskrediet gegeven in claims op euro's. Daarbij is zeker dat het krediet gedurende de looptijd van de lening de economie van de regio stimuleert.
- Omdat pas nadat de termijn verstreken is er euro's nodig zijn om de lening mee af te betalen, zijn er geen rentelasten gedurende de looptijd.

## Consumenten kiezen voor regio-euro's

Consumenten kunnen ervoor kiezen hun gewone euro's om te ruilen voor regio-euro's. Ook die regio-euro's krijgen een termijn mee en blijven zolang voor de regionale economie beschikbaar en stimuleren daar inkomen en werkgelegenheid.

Mensen met een werkloos familielid hebben daarom een goed motief om hun euro's om te wisselen. Ze weten dan tenminste zeker dat, ook lang nadat ze hun koopkracht lokaal besteed hebben, de regio-euro's nog lokaal gebruikt worden.

## Nieuw krediet dankzij bijdrage van de leveranciers

Het Social Trade Credit Circuit Catalonië wordt gevormd door Coöperaties en MKB-bedrijven en een paar gemeentes.

Waar banken daar geen krediet meer geven, maakt het Circuit krediet wel mogelijk. Dat kan dankzij de leveranciers die meebetalen aan de garanties van de kredieten van hun klanten.

De koopkracht die zo ontstaat blijft een vaste termijn in het circuit rondgaan. In die periode doen de leden in de regio hierdoor extra zaken. Pas na de termijn mogen de regio-euro's omgewisseld worden en kan de eigenaar ervoor kiezen ze buiten de regio te besteden.

## Kredieten worden gesteund vanuit een goed verzekerd Garantiefonds

Voor de regio-euro's die ontstaan op basis van een krediet moeten er na afloop van de termijn echte euro's beschikbaar zijn. Ook als het bedrijf dat het krediet nam failliet gaat.
Het Garantiefonds dat wordt gevuld met bijdragen van bedrijven die dankzij het Social Trade krediet extra omzet maken, vangt de eerste klappen op. Daarboven wordt een verzekering afgesloten voor het geval het Garantiefonds onvoldoende blijkt te zijn.

**Op weg naar een nieuwe economie**
Het Social Trade Circuit geeft op deze manier kleine, duurzame bedrijven en coöperaties meer kansen op krediet – en op klanten !!! – en zet zo een grote stap naar een nieuwe economie, waar de onderlinge samenwerking tussen bedrijven centraal staat.

## Alternativa3 zoekt krediet voor energiebesparingsadvies

De Catalaanse voedselcoöperatie Alternativa3 heeft een lening nodig voor adviezen over energiebesparing (bij koeling, verlichting, etc.). Ze wil daarvoor Unico inhuren.

Omdat de bank het risico van wantbetaling door Alternativa3 inschat op 7%,weigert zij de lening te geven.

**Geen lening, geen economische activiteit**

Alternativa3 kan dus Unico niet inhuren voor besparingsadvies. Zonder de nieuwe klant besteedt Unico op haar beurt ook niet extra in de regio. Maar mocht Alternativa3 de gevraagde lening krijgen, dan betekent dat een extra verkoop voor Unico.

## Het Social Trade Credit Circuit Catalonië maakt krediet voor Alternativa3 wel mogelijk

- Daarom steunen Unico en die andere bedrijven het Garantiefonds zodat Alternativa3 het krediet daadwerkelijk krijgt, ook al laten de banken het afweten.
- De Cyclos software die de betalingen verwerkt, zorgt dat iedereen die verdient aan het krediet eerlijk meebetaalt aan de garanties ervan.
- De opzet is wel zakelijk: het circuit kan meer risico aan, maar gaat geen onmogelijke risico's nemen. De risico's van de kredietaanvragen worden daarom door de onafhankelijke kredietverzekeraar Oinarri beoordeeld.

## Hoe wordt de kredietaanvraag beoordeeld?

**Volgens het contract van Oinarri met het Social Trade Circuit:**

**1. beoordeelt Oinarri het risico van de kredietaanvragen**

- Oinarri onderzoekt welk risico er is op wanbetaling en zolang dat beneden de 10% is, geeft ze haar fiat aan de lening door het Circuit. De kosten van het onderzoek zijn voor rekening van Alternativa3.

**2. verzekert zij tegen wanbetalingen boven een bepaald niveau**

- Oinarri neemt het risico op zich als de wanbetalingen gemiddeld boven de 10% komen.
- Het Social Trade Circuit belooft hiervoor na de looptijd de premie van 1,5% van de leensom aan Oinarri te betalen.

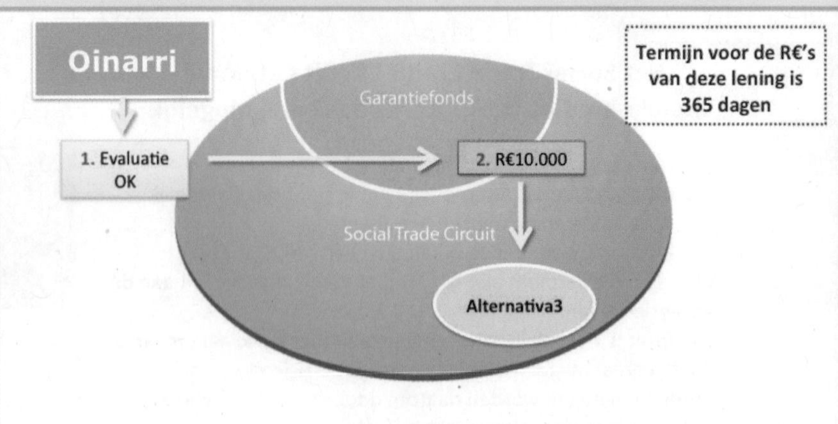

## Zo werkt geld dat een vaste termijn in de regio blijft

| 1. Kredietverstrekking R€ 10.000, terug te betalen na 365 dagen (T = 365). | 2. Na 15 dagen wordt de R€ 10.000 besteed (T = 350). | 3. Na x dagen circuleren de R€ 10.000 (T = 365 - x) in het Circuit. | 4. Na een jaar wordt R€ 10.000 afgelost (T = 0). |
|---|---|---|---|

1. Alternativa3 mag R€ 10.000 lenen, met de belofte binnen een jaar terug te betalen.
2. Na 15 dagen besteedt Alternativa3 de R€ 10.000 binnen het Social Trade Circuit bij Unico.
3. Na x dagen zijn de eenheden bij veel verschillende bedrijven.
4. Alternativa3 verkoopt zowel binnen als buiten het Circuit. Na een jaar lost het bedrijf het krediet van R€ 10.000 af, voor zover mogelijk in regio-euro's en de rest in euro's.

## Stap 2: de leverancier die dankzij het krediet verkoopt, betaalt mee aan de garantie

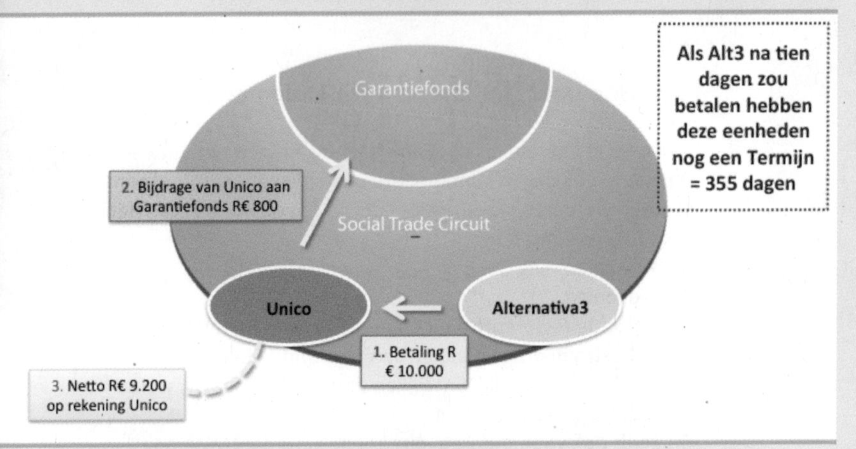


**2.** De software zorgt ervoor dat Unico automatisch 8% bijdraagt aan de kosten van het krediet.

**3.** Unico ontvangt dus netto R€ 9.200. Doordat de winstmarge op deze extra – *marginale* – verkoop ruim genoeg is, betaalt Unico zonder problemen de bijdrage aan het garantiefonds van R€ 800.

## Argumentatie naar leverancier Unico

Deze klant koopt alleen bij u als hij een krediet krijgt. De bank weigert dat krediet. Als u meedoet, gaan we er samen voor zorgen dat Alternativa3 toch bij u kan kopen. Meedoen betekent:

1. U wordt lid van het Social Trade Circuit.
2. U vindt in dat handelsnetwerk potentiële nieuwe klanten.
3. Via een extra internetbankrekening kunt u met hen zaken doen. Samen bouwen we zo aan een regionale economie waarin duurzame producten meer kansen hebben.
4. Als u Alt3 als klant wilt moet u 8% commissie bijdragen aan een Garantiefonds om een deel van het risico van het krediet aan Alternativa3 te dekken.

## Hoe pakt het Circuit voor Unico uit?

1. Unico krijgt betaald op zijn bankrekening binnen het netwerk.
2. De eerste 365 dagen kunnen deze termijn-*regio-euro's* alleen besteed worden bij leveranciers die lid zijn of worden van het Social Trade Circuit.
3. Na 365 dagen mag dat geld naar willekeurig welke bankrekening.
4. Als Unico de regio-euro's niet laat rollen betaalt het 0,5% per maand extra bijdrage aan het Garantiefonds. Unico kan die kosten dus gemakkelijk ontwijken door de koopkracht wel te besteden binnen het circuit.
5. Dit geldt ook voor anderen, dus goede kans dat Unico nog meer kan verdienen binnen het netwerk.

## Stap 3: alle transacties die mogelijk worden dankzij de koopkracht van het krediet aan Alternativa3

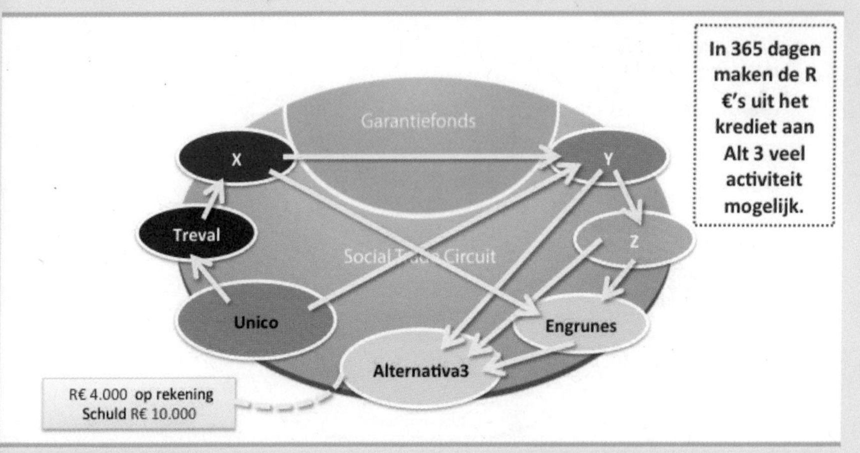


Het krediet aan Alternativa3 brengt in het Circuit een domino-effect op gang. Allereerst extra (!) inkomsten voor Unico. De extra bestedingen door Unico geven de regionale economie een impuls. Ook Alternativa3 profiteert daarvan in de vorm van extra klandizie. Na 365 dagen heeft ze R€ 4000 op haar rekening. Zo verdient het bedrijf dus een deel van haar eigen termijnbetalingsbelofte (in R€'s) terug.

## Stap 4: de omloopheffing verzamelt de hele termijn inkomen voor het Garantiefonds

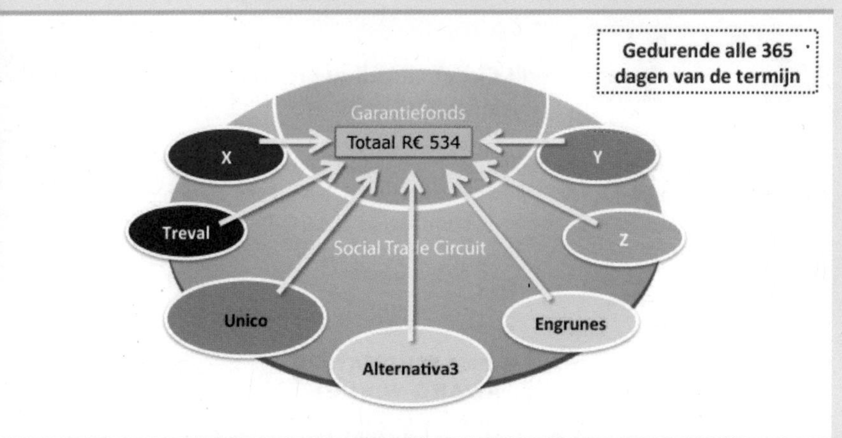


- Elk bedrijf dat dankzij het krediet een stukje van de R€-koopkracht onvangt, betaalt een mini-percentage omloopheffing voor elke dag dat de R€'s ongebruikt op hun rekening staan.
- Behalve dat deze heffing bijdraagt aan het Garantiefonds, stimuleert dit ook bedrijven zo snel mogelijk ermee te kopen, waardoor de R€-koopkracht effectief in de regio rondgaat.

## Stap 5: stand van zaken na 365 dagen

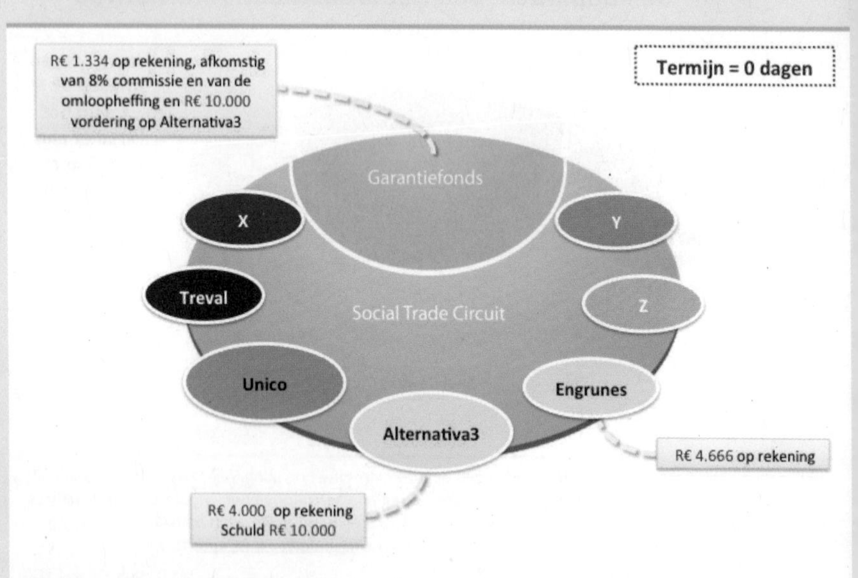

**Social Trade Credit Circuit wordt gefaciliteerd door: Cyclos 4 PRO software**

Betalingen en het bijhouden van de termijnen van de R€'s zijn mogelijk dankzij Cyclos 4 PRO software, winnaar van de e-pay innovation award 2014

## Stap 6: gedeeltelijke schuldaflossing met (terug)verdiende regio-euro's

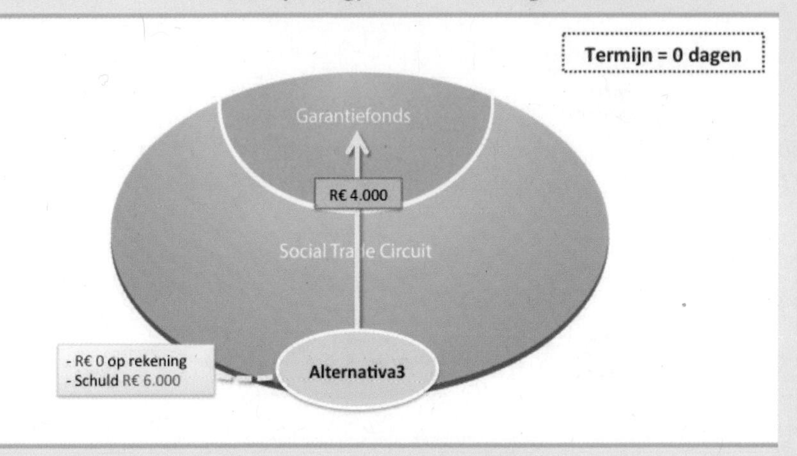


Naast de verkopen in euro's buiten het Circuit heeft Alternativa3 ook R€ 4.100 verdiend met de verkoop van biologische producten aan leden in het Social Trade Circuit. Daarvan betaalde ze R€ 100 omloopheffing die naar het garantiefonds ging. Op het moment van aflossen gebruikt Alternativa3 de R€ 4.000 als eerste om het krediet gedeeltelijk af te lossen.

## Stap 7: de resterende schuld wordt dan in euro's betaald

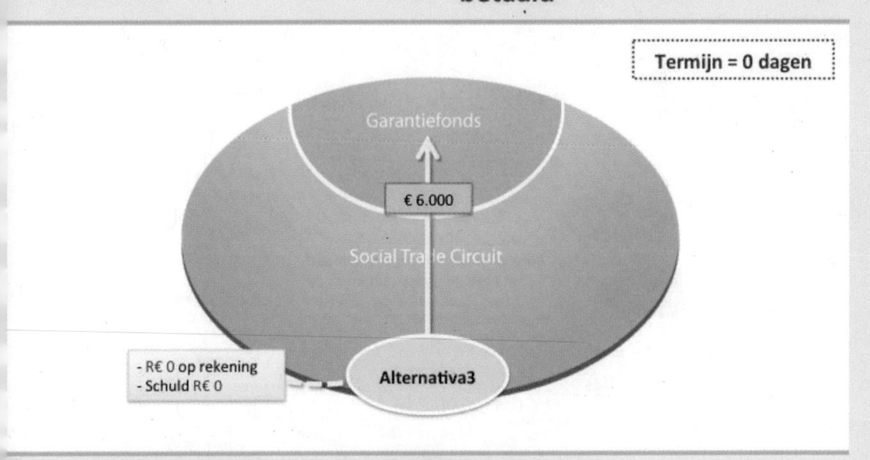


- Buiten het Circuit heeft Alternativa3 euro's verdiend. De restschuld betaalt ze volgens contract na 365 dagen terug in euro's. Haar kredietschuld is dan afbetaald.

## Stap 8: Het circuit gebruikt de euro's die Alt3 betaalde om alle R€'s uit roulatie te halen

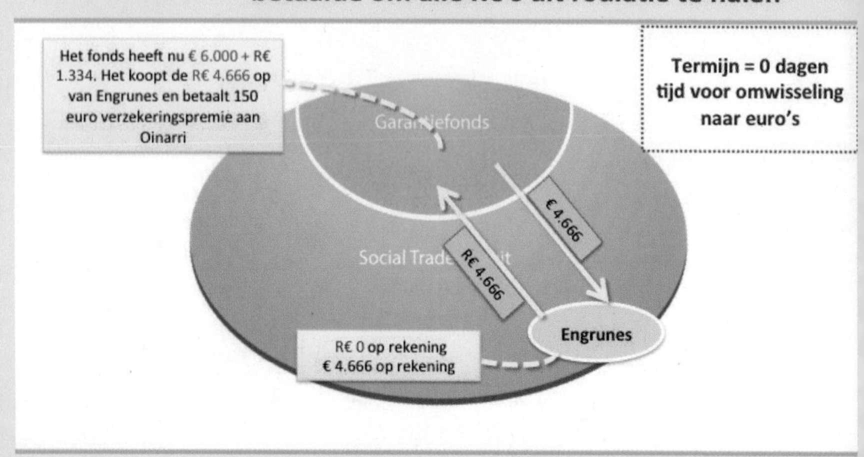


- Met de euro's die Alternativa3 heeft betaald als aflossing, koopt het Garantiefonds R€'s met T = 0 dagen, van leden (in dit geval Engrunes en van het garantiefonds).

## Eindresultaat

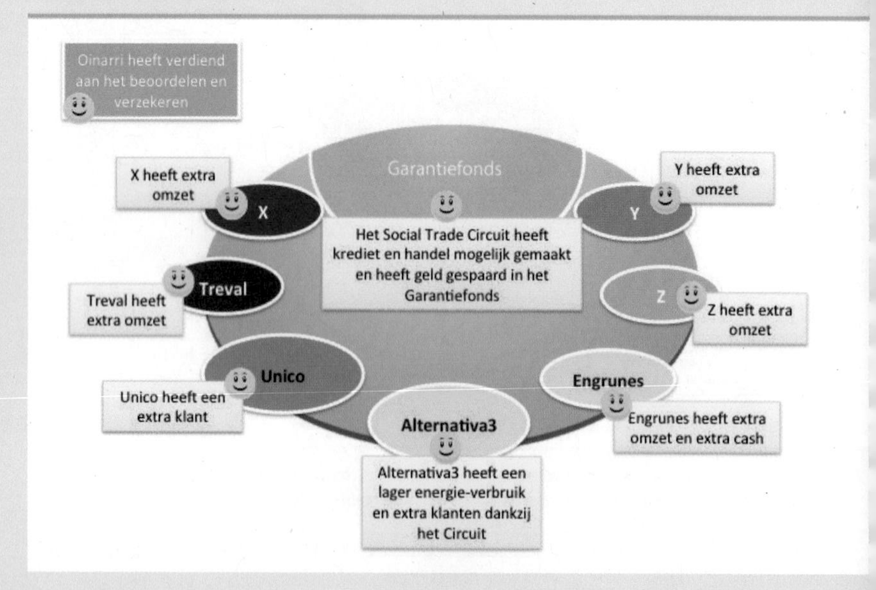

| Social Trade Krediet | Bankkrediet |
| --- | --- |
| • Bedrijven werken samen om krediet mogelijk te maken.<br>• Geen duur geld nodig.<br>• Kredieten zijn goedkoop, waardoor het MKB duurzaam kan investeren. | • Bedrijven beconcurreren elkaar om schaars geld en weinig kredietverlening tijdens een crisis.<br>• Concentratie van vermogen.<br>• Kredieten kosten de kredietnemer rente. Dat leidt alleen tot investeringen met snel rendement vanwege de rentelast. Duurzame investeringen, die vaak pas op een langere termijn rendement bieden, worden zo onmogelijk. |

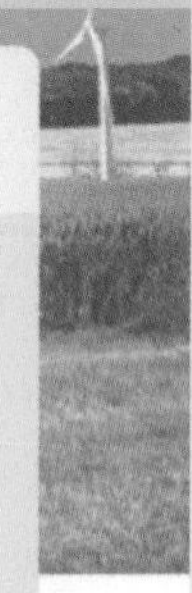

| Social Trade Krediet | Bankkrediet |
| --- | --- |
| • De R€'s blijven de gehele looptijd regionaal circuleren. Dat versterkt de sociale samenhang en de regionale economie. De kredietnemer heeft bovendien een betere kans om krediet terug te verdienen binnen het Circuit. | • Het geld dat door een krediet in omloop komt, wordt al snel grotendeels buiten de regio gespendeerd en de te betalen rente wordt weggepompt naar anonieme beleggingsfondsen uit belastingparadijzen die het beleggen in speculatie of groei. |

STRO SOCIAL TRADE ORGANISATION

# Bijlage: het huishoudboekje van het Catalaanse Social Trade Credit Circuit

| 1. Alternativa3 leent R€ 10.000 | 2. Unico betaalt 8% commissie |
| --- | --- |
| + Vordering van R€ 10.000 op Alternativa3.<br><br>- Deelnemers hebben een vordering van R€ 10.000 op de organisatie van het Circuit.<br><br>**Resultaat** = 0 | + Vordering van R€ 10.000 op Alternativa3.<br><br>- Deelnemers hebben een vordering van R€ 9.200 op het Circuit.<br><br>**Resultaat** = R€ 800 |
| **3. Omloopheffing: R€ 534** | **4. Alternativa3 lost R€ 4.000 af** |
| + Vordering van R€ 10.000 op Alternativa3.<br><br>- Deelnemers hebben een vordering van R€ 8.666 op het Circuit.<br><br>**Resultaat = 800 + 534** = R€ 1.334 | + Vordering van R€ 6.000 op Alternativa3.<br><br>- Deelnemers hebben een vordering van R€ 4.666 op het Circuit.<br><br>**Resultaat** = R€ 1.334 |

STRO SOCIAL TRADE ORGANISATION

| 5. Alternativa3 lost € 6.000 af | 6. Omwisseling R€s, betaling premie Oinarri |
| --- | --- |
| + €6.000<br><br>- Deelnemers hebben een vordering van R€ 4.666 op het Circuit.<br><br>**Resultaat** = € 1.334 | + 6.000 – 4.666 - 150 = €1.184<br><br>- Deelnemers hebben een vordering van R€ 0 op het Circuit.<br><br>**Resultaat** = €1.184 *<br><br>*Dit is het eigen vermogen van het Garantiefonds. |

## 2) Reversed factoring in Nederland

In Nederland betaalt de overheid gemiddeld in 43 dagen. De hiervoor beschreven technologie kan hier ook helpen:

De vaste leveranciers van gemeentes, provincies, het rijk en grote bedrijven krijgen dan binnen het Circuit koopkracht om de periode te overbruggen totdat de rekeningen daadwerkelijk betaald zijn.

De aanpak lijkt op wat wel **reversed factoring** genoemd wordt, omdat de overheid de betaling van alle rekeningen garandeert die nog niet betaald zijn. Dat biedt het Circuit de mogelijkheid om die koopkracht alvast voor te schieten in regio-euro's met een termijn van het aantal dagen waarbinnen de overheid gaat betalen.

## In Nederland zou dit zo'n 4 miljard opleveren

- Volgens onderzoek zou het MKB € 1,3 miljard liquiditeit extra krijgen als er in 30 dagen betaald wordt.
- Dankzij Social Trade kan de liquidteit nu op dag 1 beschikbaar zijn. Dat levert het MKB dus 4 miljard aan een extra liquidteit op. Zonder dat dit de overheid of het grote bedrijf iets kost!
- Niet alleen het MKB is daarmee geholpen, maar ook zou het extra banen en meer belastinginkomsten tot gevolg hebben.
- Te hopen is dat gemeentes snel het Nederlandse Circuit gaan benutten om zo hun MKB te helpen.

MET UW
HULP NU DE
DOORBRAAK
Henk van Arkel